文 庫

アルゴリズムの乙女たち

明治依吹

徳間書店

目次

第一章　出会い

1

アルゴリズムというものに初めて触れたのは、昨年の秋だった。

問題を解くための手順。簡単に言えばそういうことです、と選択科目の《プログラミング基礎》の講義で担当教員が話していたのを思い出す。

二月中旬、学内はもうじき春休みに入る。天神《てんじん》大学の共通棟三階にあるコンピュータルームでは、壁一面の窓から白い光が差し込んでいた。わたしの他には数人ほどが席に着いていて、それぞれパソコンのキーボードを叩《たた》いたり、マウスをカチカチと操作したりしている。

提出期限が迫っている《プログラミング基礎》の演習課題は、与えられた問題を解くためのプログラムを組んで提出するというものだった。パソコンのキーボードの上で指を踊らせるたびに紡《つむ》がれていく、半角英数字と記号たち。ハッシュマーク《#》に続けてメモを書き込むときは、全角文字も肩身が狭そうに顔をのぞかせる。二十二インチのディスプレイを左から右へ、上から下へ流れるように文字が駆け巡っていく。

```
for x in range(1, 101):
    if x % 3 == 0 and x % 5 == 0:  ＃ｘが３の倍数かつ５の倍数のとき
        print("FizzBuzz")
    elif x % 3 == 0:  ＃ｘが３の倍数かつ５の倍数でないとき
        print("Fizz")
    elif x % 5 == 0:  ＃ｘが５の倍数かつ３の倍数でないとき
        print("Buzz")
    else:
        print(x)
```

　１から１００まで順に数えていって、その数字が３の倍数かつ５の倍数のときは"FizzBuzz"を、３の倍数の場合は"Fizz"を、そして５の倍数であれば"Buzz"を出力し、それ以外の場合はその数字を出力させる、という問題だった。

書き上げたプログラムを実行する。

1, 2, Fizz, 4, Buzz, Fizz, 7, 8, Fizz, Buzz, 11, Fizz, 13, 14, Fizz Buzz,……

想定どおりの出力結果だ。

最大公約数に着目すればプログラムをもう少し簡潔に書けるだろうなと思いつつ、すでに解けたプログラムをこれ以上コンパクトにすることにこだわりはなかったので、このままにしておく。

講義の内容は初歩的なもので、難易度も進度もさほど厳しいものではない。とはいえ、わたしは取り立ててプログラミングが得意というわけではないし、講義で扱うレベルを超えた内容を独学したいと思えるほどの楽しさは見出《みいだ》せていなかった。

——もっと数学的な問題だったら面白いんだろうけどな。

ため息が漏《も》れる。

次の問題に取り掛かろうとしたとき、ポォンと小気味良い音が鳴った。学内メールの受信音。『ぜひ競プロ部へ！』という件名の新着メールが届いていた。

メールを開いてみると、何十行もの文章が目に飛び込んできて圧倒された。よくよく読んでみると、冒頭に『長谷部愛奈《はせべまな》さんへ』という一言と、突然のメールを詫《わ》びる一文が書かれてある。それ以降はずっと、わたしに《競プロ部》という学内の部活動に入部してほしいという熱意のこもった文章が綴《つづ》られてあった。メールの文末には『豊《とよ》福小百合《ふくさゆり》 TOYOFUKU Sayuri』と署名されている。その名前に見覚えがないし、それと思わしき人物にも心当たりがない。

この豊福という人は、なんでわたしのことを知っているのか。

きょうぷろ？ というのは《競技プログラミング》の略称らしいが、プログラミングの競技とは一体なんなのか。

語感が似ているとはいえ競馬や競輪のようなギャンブルの類《たぐい》ではなさそうだな、と思いながら、メールを読み返すにつれて部活動という点に引っかかりを覚えていた。

中学校時代のあのときを境に、高校では部活を全くせず、大学に入ってからも部活やサークルの勧誘は全て断ってきた。わたしはもう、部活というものに関わりたくないのだ。

――やれやれ。

わたしは頭の後ろで結い上げた黒髪を一撫《ひとな》でする。

そして、少しばかりの心苦しさを覚えつつ、やんわりとした断りのメールを返した。

翌日、再びコンピュータルームに赴《おもむ》き、《プログラミング基礎》の演習課題の残りを仕上げた。各問題の解答プログラムを圧縮ファイルにまとめて、USBメモリーに保存する。そして学内メールを開き、講義の担当教員へ圧縮ファイルを提出した。

不意に、右隣のほうから視線を感じた。顔を振り向けると、先ほどまで誰もいなかったはずが、いつの間にかダークブラウンのロングヘアの女子が座っていた。彼女は、そのくっきりとした二重まぶたの両目をわたしのほうへ真っすぐ向けている。

「ん？」

思わず声が漏れた。わたしの左側は通路になっていて、その向こう側には誰もいない。整った顔立ちをした彼女は、わたしのことを見つめているに違いなかった。

「長谷部さんよね？」

彼女は笑みを浮かべながら訊《たず》ねてきた。

見覚えがないけれど、少なくとも部外者ではなさそうな雰囲気だ。

「そう、ですけど……？」

「敬語じゃなくていいわ、同学年だし。もう終わったの？　それ」

そう言って、彼女はわたしの目の前にあるディスプレイを指さした。

「あ、うん」

わたしはキーボードとマウスから両手を離し、彼女のほうへ体ごと向き直った。彼女からは、どこか自信に満ちあふれた印象を受ける。学年だけでなくわたしの素性をいろいろと知られているような気がして、得体の知れない怖さを覚えずにはいられない。

「どちらさま……だっけ？」

「プログラミング、好き？」

わたしの質問には答えず、彼女は言葉を重ねてきた。

ひとまず、無難に答えておく。

「そだね……まあまあ、かな」

「そうなの？　まあまあ好きっていうのは、講義で勉強するようなプログラミングは、っていう意味でしょう？」

見透かしたような彼女の言葉に、一瞬だけ返答に詰まる。

「それはまあ、そうかもね」

「やっぱり。ねえ、競プロには興味ないの？」

「きょうぷろ？」

彼女は話を続ける。

「そう、競プロ。競技プログラミングっていうんだけどね。オンライン上で定期的に開かれるコンテストで、アルゴリズムの知識とかプログラミングの技術を競《きそ》い合うの。

プレイヤーが世界中から同時に参加して、いくつか出題される数学的な問題とかパズル的な問題を制限時間内に解いていくのよ。それで、コンテストが終了した時点での得点の高さと正答時間の短さで順位を競うっていう感じね。そういうオンラインゲームみたいなもの。どう？」

彼女の話を聞く限りでは、純粋に面白そうだった。特に数学的、パズル的な問題、さらにはオンラインゲームみたいなもの、というところが興味深い。プログラミングはともかく、理学部応用数学科に所属しているから数学は好きだし、人並み以上に得意だという自負もある。

それに、パズルという点では論理パズルのような思考ゲームはもちろん、物理的に組み立てるジグソーパズルなんかも中学生の頃から大好きで、今でもずっと遊んでいる。少しずつピースを組み合わせていって、最後のピースを合わせた瞬間に味わえる達成感がたまらない。そんな感覚を競プロでも味わえるのだろうか、と少なからぬ興味を覚えた。

ふと、昨日のメールに書かれてあった名前を思い出す。

「そっか、豊福さん？　だよね」

「そう、豊福小百合よ。メール見てくれたのよね」

「うん。その……競プロ部って、どんな部なの？」

「基本的には、さっき話したコンテストに出場して楽しむっていうのが主な活動ね。あとは、問題を解いて練習したり、アルゴリズムの勉強をしたり、かな。この間まで四年生の部員が二人いたんだけど、今は私ともう一人の二年生だけよ。その子も私が最近誘って入部してくれたばかりなの」

「そうなんだ。その、競プロ？　のこと、まだあんまりよくわかってないんだけど、コンテストってチームで参加するの？」

「定期的に開かれるコンテストは個人戦ね。それ以外だと、年に一回開かれる大会もあって、そっちは団体戦よ」

　団体戦、という言葉に引っかかる。競プロというものを自分一人で楽しむ分にはよさそうだし、始めてみればハマるかもしれないという気もする。でも、誰かと一緒に部活をする、というのはもうたくさんだ。それに、ゲームやジグソーパズルで遊んだり、動画サイトでゲーム実況を観《み》たり、やりたいことは他にもいろいろある。

「せっかくだけど、わたしはいいかな」

「えっ？」

　直接会えば入部してくれると思っていたのだろうか、彼女は意外そうに少しだけ目を見開いた。

　わたしは首を横に振る。

「昨日もメールで返信したとおり、遠慮しとくよ。なんとなく面白そうだなって思うけど……部活っていうのは、ちょっと」

「ダメなの？　競プロ、興味あるんでしょう？」

彼女は身を乗り出して訊《き》いてきた。

「まあ、興味なくはないけど」

わたしはＵＳＢメモリーをパソコンから引き抜き、足元に置いてあったリュックにしまう。そして席を立った。

「ちょっと！」

「ごめんね」

彼女の引き留める声を振り切って、わたしはコンピュータルームをあとにした。

2

競プロ部への入部の誘いを断ってから数日後、必修科目の《集合・位相論》の講義を終えて、図書館に寄ってから食堂へ向かった。昼食には日替わり定食を選ぶ。図書館で借りてきた数学書を眺めながら、ご飯、味噌汁、サバの煮付けを箸で巡回する。

「べえやぁん！」

定食を食べ終えたところで、左斜《なな》め後ろのほうから、よく通る声が響いてきた。その声の主と思われる女子はわたしの真正面の席に来て、うどんの丼が載《の》ったトレイをテーブルの上に置いた。彼女は肩にかけていたリュックを足元に置いて「よっス」と八重歯をのぞかせながらにこにこと笑いかけてきた。

彼女の姿を見やると、派手だな、と感じずにはいられなかった。頭のてっぺんから毛先に向かってブルー、パープル、ピンクと色が変わっていく、グラデーションカラーのミディアムヘアをしている。

しばらくわたしが何も反応しないでいると「あれっ？」と彼女は首を傾《かし》げた。

「ごめん、長谷部愛奈さんで合っとるよね？」

「そうだけど……？」

「なーんやビビった、人違いかと思ったやん。べえやん、競プロ部に入るんやろ？　よろー」

そう言って彼女はおもむろに箸をつかみ、うどんを勢いよくすすった。いきなり《べえやん》呼びなんて初対面にしては馴《な》れ馴《な》れしい感じがするな、とは思ったけれど、不思議とそこまで嫌な印象は受けない。何かの講義で一緒になっただろうか、と思い出そうとしても記憶のピントが合わない。もし会ったことがあるのなら、こんなに目立つ女子を忘れるわけはないのだが。

「ちょっと、待って」

わたしの言葉に、彼女は箸を動かす手を止めた。

そしてわたしの目を見つめて首をひねる。

「どしたん？」

「あのさ、どこかで会ったっけ？」

「ううん、会うのは初めてやと思うよ」

「……あ、そっか、豊福さんが言ってた、競プロ部に入部した二年生ってあなたのこと？」

「そうそう、ついこないだお嬢に誘われてさ、競プロ部に入ったんよ。べえやんのことも、お嬢から聞いたっちゃね」

へへっ、と彼女は笑って、話を続けた。

「四年生が卒業やから、競プロ部はお嬢以外に部員が誰もおらんくなったらしいっちゃんね。そんでお嬢があたしんとこ来て、部が潰《つぶ》れるのはイヤやし、もっと部を強くさせたいけん入ってほしいって言われてさ。そこまで言ってくれるんやったら、あたしも入っちゃろうかいね、って」

「お嬢って、豊福さんのことでいいんだよね？　あなたは——」

「あっ、あたし、井手上《いでがみ》涼子《りょうこ》。お嬢からはりょーちゃんって呼ばれとるばい」

「オッケー、わかった。りょーちゃんは、もともと競プロやってたの？」

「競プロはやったことなかったんやけど、あたしは情報工学科やけん、プログラミングは得意っちゃね」

凉子は再びうどんをすすった。

「べえやんは、プログラミングできると？　あれ、そういや学科はどこやったっけ？」

「わたしは応用数学科。プログラミングは、講義でちょっと勉強したぐらいかな」

「あーね、べえやんは応用数学科なんや。なるほどねぇ、だからお嬢がべえやんのこと誘ったんかぁ」

うんうん、と凉子は首を縦に振って、コップの水を飲んだ。

「どういうこと？」

「お嬢が言いよったんやけどさ、競プロって数学の知識もバリバリ使うらしいっちゃね。あたしも始めたばっかやけん、まだようわからんのやけど。でも、ただ単にプログラミングができるだけやと強くなるのは難しいらしくて」

そして凉子は、にひひっ、と笑って続けた。

「お嬢、生まれ変わらせたいって言いよったし」

「生まれ変わ……何を？　競プロ部のこと？」

「せやね、たぶんそうやと思う。あたしも詳しいことはまだなんもわからんけど、四年生が在籍しとったときは、わりとテキトーな感じで活動しよったらしいっちゃんね。お嬢以外は」

「豊福さんは……お嬢は違ったの？」

「そうみたいやね。お嬢はガチで活動してきたっぽいけど、その分、四年生たちにはだいぶ不満が溜《た》まっとったみたいやね」

小百合からの勧誘メールは、文面の端々から競プロへの意気込みが、とりわけ競プロ部への並々ならぬ情熱がにじみ出ていた。涼子の話を聞く限り、小百合は四年生たちが競プロ部からいなくなったタイミングで、活動を仕切り直そうと考えているのかもしれない。

「そうなんだ……でもさ、わたし、競プロ部に入ったわけじゃないんだよね」

「えっ、そうなん？」

「たしかにメールもらったり直接会ったりして誘《さそ》われてはいるけど、入部するとは言ってないから。そもそも競プロって、まだよくわかってないし」

「もしかして、べえやんはまだ競プロやったことなかね？」

「うん、ない」

「なんやなんや、それをはよ言うてよ……おっけ、そしたらまずはコレやね！」

涼子は上着からスマートフォンを取り出して、何度か操作してからこちらへ画面を向けてきた。

「何これ、アルゴ……コード？」

「そうそう、《アルゴコード》。競プロのコンテストサイトの名前やね」

凉子のスマートフォンの画面に映し出されたサイトには、コンテストの開催状況や運営からのお知らせ、プレイヤーのランキング表などが掲載されていた。

「コンテストがさ、こんな感じでほぼ毎週土日に開かれてるんよね」

凉子が《コンテスト》のメニューを選択すると、これから開かれる予定のコンテストや開催終了したコンテストの一覧が表示された。直近で開催されたコンテストページへのリンクを開くと、コンテスト名、問題AからFまでの六問とそれぞれの配点、そしてコンテストの制限時間が記載されていた。

凉子は、続けて問題一覧のページを開いた。問題Aへのリンクを押すと、問題文が目に飛び込んできた。

『十四枚のカードがあります。それぞれのカードには、0から12の数字および星マークのうちいずれか一つが書かれてあり、重複はありません。全てのカードを裏返してから一枚取り出して表にしたとき、カードに書かれた数字が奇数であれば"Odd"を、偶数であれば"Even"を出力させてください。ただし、0の場合は"Zero"を、星マークの場合は"Star"を出力させてください』

問題設定としては単純だな、というのが第一印象だった。

凉子は画面を下にスクロールさせていく。

「こんな感じで、最初に問題文が書かれてあるんよ。ほんで、こういう入力値が与えられるけん、こういう出力をさせてくださいねーっていう流れ。この問題の場合やと入力値はNで、そこに何かの数字が与えられるわけや」

問題文の下には入力値の例とそれに対応する出力例が書かれてあった。入力例1は"2"で、それに対する出力例1は"Even"だった。入力例2は"5"で出力例2は"Odd"だ。制約条件も設定されていて『Nは整数で $0 \leq N \leq 13$、ただし $N = 13$ は星マーク』と書かれている。

「なるほどね……なんとなくわかってきた。こういう出力をさせるようなプログラムを書いて提出してねってこと?」

「そうそう。ちょっと、実際にやってみようかいね」

凉子はスマートフォンをテーブルの上に置き、わたしにも見えるようにしてプログラムを書き始めた。

```
N = int(input())
```

「まずは入力される値をinput()で受け取るやん？　このままやと文字列やから、このあとの処理のためにint()で整数に変換やね」

凉子の説明を聞きながら、問題文にもう一度目を通した。頭の中でカードを思い浮かべてみる。問題を解く手順としては、カードに書かれた数字が0か13かどうかをまず調べて、そのどちらでもないとき、２で割り切れれば偶数、割り切れなければ奇数として判定させればいいはずだ。

凉子は先ほどの続きを書き連ねていく。

```
if N == 0:
    print("Zero")
elif N == 13:
    print("Star")
else:
    if N % 2 == 0:
        print("Even")
```

```
else:
    print("odd")
```

「まあ、条件ごとに処理を分けるだけの簡単な問題やね」

プログラムを書き終えると、涼子は画面の一番下にある《提出》ボタンを押した。パッと画面が切り替わる。

……2/10 OK……4/10 OK……7/10 OK……10/10 OK.

そして、緑色ハイライトに白抜き文字で《AC》と表示された。

「まあ、こんな感じやね」

「《AC》って出たら正解なの？」

「そう、Accepted で正解ってことやね。なんとなくわかったっしょ？」

「うん。あと、さっきの《2/10》とか《7/10》みたいに数字が進んでたのは何？」

「提出したプログラムが正しい結果を出力できるかどうかを判定するのに、あらかじめ用意された入力値と想定解があるんよ。テストケースっていうんやけどね。さっきの問題やとテストケースが十個用意されてて、《2/10 OK》やとしたら十個のテストケースのうち二個は正しい結果が得られましたよーってこと。そんで、全部のテストケースをクリアできたら、その問題は《AC》ってことやね」

どういう仕組みなのか正確にはわからないけれど、一括《いっかつ》でジャッジするためのオンラインシステムみたいなものがあるのだろう。

「テストケースのうち一個でも間違った出力をしたら、不正解やね。Wrong Answerで黄色く《WA》って表示されるんよ。それだけやなくて、プログラムの実行制限時間をオーバーしたり、他のエラーを出したりとかも全部アウトやね」

「厳しいね」

「せやね。そんで、正解すれば問題ごとに得点ゲット。今解いたやつは簡単な問題やったから配点は低いけど、問題が難しくなるにつれて配点も高くなっていくんよ」

「なるほど……なんとなくわかった、うん」

「あとはもう、コンテストにどんどん参加するだけやね。ゆうて、あたしもまだ一回しか参加したことないんやけどさ」

涼子はそう言って、にひひっ、と笑った。

「そうなんだ。いつ入部したんだっけ？」

「あたしが競プロ部に入ったんは、二週間まえやね。そんで、その週の土曜日のコンテストに参加したんよ。ちなみに、お嬢は去年から競プロやっとるけん、ちかっぱ強かとよ。たしか、ランクはCとかBとかやった気がする」

「ランクって?」

「プレイヤーの強さを表す称号みたいなものやね。EからD、C、Bって上がっていって、SSSまで八段階あるっちゃんね」

そして涼子はスマートフォンを上着のポケットにしまい、立ち上がった。リュックを肩にかけて、トレイを持ち上げる。

「ごめんごめん、次の講義があるけん。ほんじゃ、また部室でね」

ばいばーい、と涼子は去っていった。入部してるわけじゃないんだけどな、と思いつつコップの水を飲んだ。

3

大学のキャンパス近くのマンションに、わたしは入学したときから住んでいる。大学に進学するまえからマイペースなほうで、一人で過ごすことが好きだったけれど、このマンションで一人暮らしをするようになってから拍車《はくしゃ》がかかってきた。

食堂で涼子と別れたあと、自宅に戻るとすぐにノートパソコンを開いて、アルゴコードの公式サイトにアクセスした。アカウント登録を手早く済《す》ませて、さっそくコンテスト一覧のページを表示させる。過去に開催された回や、これから開催予定の回が並んでいた。

デスクに積んであった《プログラミング基礎》のテキストが目に入り、手に取る。パラパラとページをめくって、プログラミングとアルゴリズムの解説ページを開いた。

『プログラミングとは、コンピュータに処理してほしい内容を、人間が扱いやすい形の言葉で記述することです。その言葉をプログラミング言語といいます。そのプログラミング言語でひとまとまりの処理を書いたものをソースコード、あるいは単にコードと呼びます』

『アルゴリズムとは、問題を解くための手順です。料理でいえばレシピのようなもので、同じ料理を作るのに複数の作り方があるのと同様に、同じ処理をするのに何通りものアルゴリズムが存在することがあります。その中には、料理と同じで比較的効率の良いものも悪いものもあります』

そのあとには、具体的な処理の例を挙げた解説が続いていた。そこでテキストを閉じて、ノートパソコンに再び向き直る。目についたコンテストページを開いて、問題リストを見ていった。その回の問題Cのページを開いてみる。

『ある工場ではA、B、Cのお菓子を製造しています。一日に三種類合計でS個を製造し、砂糖を合計Tキログラム消費しました。A、B、Cのお菓子を製造するのに必要な砂糖の量はそれぞれ一個あたり5キログラム、3キログラム、2キログラムです。この日に製造したお菓子A、B、Cの個数をそれぞれx、y、zとするとき、使用した砂糖の量が合計でTキログラムとなるようなx、y、zの組み合わせを一つ出力させてください。ただし、組み合わせが複数存在する場合は、そのうちのいずれを出力させてもよいものとします。そのような組み合わせが一つも存在しない場合は"NA"を出力させてください』

問題文が長く、何度か読み返してようやく題意をつかむ。シンプルに考えれば、お菓子の個数と砂糖の消費量はそれぞれ x+y+z=S と 5x+3y+2z=T で表すことができるけれど……もしかしたらx、y、zについて調べ上げたほうが早いかもしれない。

こういうときは、具体的な数字を当てはめて考えていったほうがわかりやすい。

もしお菓子 S=3 個で砂糖を T=10 キログラム消費したとすれば、A、B、Cそれぞれで砂糖を1キログラム使うと 5×1+3×1+2×1=10 キログラムになるから条件を満たす。なので、答えとしては"1 1 1"を出力させればいいはずだ。

このx、y、zをそれぞれ0から順にSまで調べて計算した結果がTになればその時点でx、y、zを出力させて、Tに一致するような組み合わせがなければ"NA"を出せばいいということか。繰り返し処理を三重にすれば全通り調べられる。

あとはソースコードに落とし込めば——だけど、全てを一気に作り上げようとしても難しい。となると、わかるところから埋《う》めていくべきか。とはいえソースコードの全体像や完成形がまだわからないので、ジグソーパズルのようにはいかない。

——ジグソーパズル。

ふと思い至る。

闇雲《やみくも》にコードを書いていっても、いたずらに時間を使うばかりだろう。

それよりは、何かしらの決まったやり方でソースコードを構築していくことができれば、より速く、より確実に正解しやすくなるのかもしれない。

——四角形のジグソーパズルだとしたら。

まずは角の四つのピースを探して当てはめ、それから外枠を埋めていく。そして残ったピースを、絵柄や形をヒントに組み合わせていくつかのブロックを作り、最後にそれらを埋め込んでいく。あるいは、単独のピースをダイレクトにはめ込む。

競プロでも、似たようなアプローチで問題が解けるのではないか。

まずはソースコードの外側を埋めてみる。この問題であれば入力値のSとTを受け取る部分、そして答えを出力する部分だ。

次に組むのは、お菓子の個数x、y、zの組み合わせを調べ上げる処理と、条件を判定する処理だ。この時点で何を書くべきか不明な箇所は、ひとまずアンダーバーを入れておく。

```
S, T = map(int, input().split())      #入力値の受け取り
for x in range(___):          #お菓子Aの個数x
    for y in range(___):          #お菓子Bの個数y
        for z in range(___):          #お菓子Cの個数z
            if ___:          #条件
                print(x, y, z)          #条件を満たす組み合わせを出力
                exit()          #一つ出力すればよいのでここで処理終了
print("NA")          #条件を満たす組み合わせが存在しない場合はNA
```

調べるのはそれぞれ0からSまでで、条件はお菓子の個数Sと砂糖の使用量Tキログラムだ。仮埋めしていたアンダーバーの部分を埋める。

```
S, T = map(int, input().split())          #入力値の受け取り
for x in range(S+1):          #お菓子Aの個数xを0からSまで試す
```

```
    for y in range(S+1):    #お菓子Bの個数yを0からSまで試す
        for z in range(S+1):    #お菓子Cの個数zを0からSまで試す
            if x + y + z == S and 5 * x + 3 * y + 2 * z == T:    #条件
                print(x, y, z)    #条件を満たす組み合わせを出力
                exit()    #一つ出力すればよいのでここで処理終了
                #条件を満たす組み合わせが存在しない場合はNA
print("NA")
```

書き上げたソースコードで、与えられた入力例をテストする。

【入力例1】
3 10
【出力例1】
1 1 1
【テスト出力】
1 1 1

続く入力例2も、出力例2と等しい組み合わせを出力することができた。入力例3

は条件を満たさない場合のケースで、それもクリア。一呼吸置いて、書き上げたソースコードを先頭から末尾まで再び見直す。そして提出欄に貼《は》りつけ、《提出》ボタンを押した。この問題に正解できれば３００点が得られる。ジャッジが始まり、二十六個のテストケースが順に実行されていった。

……3/26 OK……7/26 OK……11/26 OK…………………

《ＴＬＥ》

黄色ハイライトに白抜き文字で《ＴＬＥ》が表示され、不正解となる。Time Limit Exceededで、プログラムが実行制限時間を超えてしまったテストケースがあったようだ。

——どこだ。

どこを間違えた。

入力例は全てクリアしたし、調べ上げも問題ないはず。

問題文を読み直す。題意を取り違えているということもない。それから、問題文の下にある制約条件を確認した。

——もしかして、これが原因か。

Sは最大で3000となっていた。わたしが書いたコードでは、S＋1回の処理が入れ子で三重に実行されるようになっている。ということは、最大で約27×10の九乗回の処理が実行される可能性がある。単純に考えるなら、繰り返し処理を三重ではなく二重にすることができれば、約9×10の六乗回まで減らすことができる。

——どこか、ピースが上手《うま》くはまっていない。

もう一度、ソースコードを見直す。工夫の余地があるとすれば、if文で条件判定をさせている部分か。

デスクの脇から紙とボールペンを手繰《たぐ》り寄せ、数式を書きつける。

——そうか。

お菓子AとBの個数が決まれば、それぞれSから引くことでCの個数が求められるのか。

だから、x＋y＋z＝Sをz＝S－x－yに式変形してやればいい。

どうしてこんな単純なことにすぐ気がつかなかったんだ。

さっそくソースコードを修正し、先頭から末尾まで再び見直した。

わたしの組み上げた、ジグソーパズル。

```
S, T = map(int, input().split())    #入力値の受け取り
```

```
for x in range(S+1):            #お菓子Aの個数xを0からSまで試す
    for y in range(S+1):        #お菓子Bの個数yを0からSまで試す
        z = S - x - y           #お菓子Cの個数z
        if z < 0 or z > S:      #zが0以上S以下でない場合はスキップ
            continue
        if 5 * x + 3 * y + 2 * z == T:      #条件
            print(x, y, z)      #条件を満たす組み合わせを出力
            exit()              #一つ出力すればよいのでここで処理終了
print("NA")                     #条件を満たす組み合わせが存在しない場合はNA
```

今度こそ、大丈夫なはず。

しかし、全てのテストケースをクリアしなければ、競プロの問題としては正解ということにならない。

――きっといける。

ソースコードを提出欄に貼りつけて《提出》ボタンを押した。すぐにジャッジが始まる。

……1/26 OK……5/26 OK……11/26 OK……17/26 OK……

きっと通る。

両手を合わせた。

……21/26 OK……24/26 OK……26/26 OK.

《AC》

「おお……」

思わず拳《こぶし》を握《にぎ》りしめた。

――これが、競プロ。

わたしは改めて実感した。苦心《くしん》の末に問題に正解できたときの喜びを。

これは――ハマるかもしれない。

もともと好きで得意な数学の力を存分に発揮できる。プログラミングの力はまだ不十分だとしても、退屈だった講義や演習問題とは違って、これなら勉強しがいがありそうだ。

何より、プログラムを書いているときの思考が、まるでジグソーパズルを組み上げていくような、少しずつ完成形に近づいていくような、そんなプロセスを辿《たど》っていくスリルが忘れがたい。

最初は完成形がわからないジグソーパズル。一つひとつピースを埋めていき、最終的に一つの作品に仕上げていく、そんなゲーム。競プロというものの奥深さを垣間見《かいまみ》た気がした。

——だけど。

部活として取り組むというのは、どうしてもモヤモヤしてしまう。

あのときの、中学校時代のようにはもうなりたくない。

不意に胃の辺りを締めつけられるような感覚に襲《おそ》われる。

続く問題Dにも目を通したけれど、一見してすぐには解けそうになかったので、問題Cの提出結果のページへ戻った。

問題文を読み解いて、数学的な思考を脳裏に巡らせる瞬間。

処理のピースをつなぎ合わせて、ジグソーパズルのようにソースコードを組み上げていく瞬間。

ジャッジが回り、テストケースの《OK》が重なっていって、打ち出される《AC》。

もう一度、あの瞬間を。

そう求めてしまう。

いつまでそうしていたのか、わたしは腕を組んで、ノートパソコンの画面に映し出される緑色の《ＡＣ》を見つめていた。

第二章　乙女たちの始動

1

あれから、時間を見つけては過去のコンテストの問題を解いていた。毎日解き進めていくと、数学的な問題だけでなく文字列の対称性や並べ替えに関するものなど、こんなにもバリエーションがあるのかと思えるほどに様々なタイプの問題に巡り合い、どんどん楽しくなっていった。

この日は講義のあと、キャンパス内の休憩所で椅子に座って、スマートフォンでゲームに興じていた。競走馬をモチーフにした美少女キャラたちの育成やレースを楽しむもので、全国的に流行《はや》っている。

ガチャでお目当てのキャラが出てきて喜んでいたところで、突然、わたしの前に大きな人影が二つ現れた。筋骨隆々《きんこつりゅうりゅう》とした、整った顔立ちの女性たち。揃《そろ》ってネイビーのラインパンツに黒いダウンジャケット姿。雷神をデフォルメしたキャラクターがプリントされた白いTシャツのほうの女性は、にこにこしている。対して、風神Tシャツを着たほうは真顔だ。二人とも何も言わずにわたしのほうをじっと見ている。

雷神と風神を交互に見やるものの、まったく見覚えがなかった。直感的に身の危険を察してその場を立ち去ろうと席を立ったとき、二人はわたしの両脇に回り込んできた。そして雷神に体を持ち上げられる。

「えッ」

あっという間に、その筋肉質な肩に抱《かか》えられた。

「あのッ！　ちょっ、待ってッ」

太い腕をがっちりと胴《どう》に回されてしまい、身動きが取れない。雷神はそのまま休憩所から外へ出て、速度を上げて走り出した。

「えーッ！　待って！」

叫《さけ》びも空《むな》しく、雷神の走るスピードは加速していく。風神もわたしの荷物を抱えてぴったりとついてきているようだった。

どのくらい抱えられていただろうか、雷神と風神の動きが止まった。地面にゆっくりと降ろされ、乗り物酔いのような感覚に軽く襲われながら辺りを見渡すと、キャンパス内の共通棟から少し離れた場所だということがわかった。部活やサークルの部屋が建ち並んでいるだけで、普段は学生の出入りがほとんどないエリアだったはずだ。

そして案内された部屋のドアには、達筆な《競プロ部》という張り紙がされていた。

おもむろに雷神から腰に手を回される。そして風神がドアを開け、部屋の中に入ると、そこには畳敷きの和風空間が広がっていた。

「お嬢。お連れしました」

雷神が呼ぶ。

その声に気づいたようで、部屋の奥のほうから聞き覚えのある声が返ってきた。

「ありがとう、らいちゃん、ふうちゃん」

玄関に向かってきたのは、コンピュータルームで会った豊福小百合、その人だった。

中へどうぞ、と小百合から促《うなが》される。

「ちょっとだけ手荒《てあら》な真似《まね》しちゃって、ごめんなさいね」

さほど悪気《わるぎ》のなさそうな顔で彼女は言った。雷神と風神に両脇を固められ、観念して和室に上がる。部屋の左奥に並べられたデスクには、先日食堂で会った涼子の姿もあった。やっほー、とジュースの紙パックを片手に、涼子は反対の手をわたしに向かってヒラヒラとさせる。

それとなく状況がつかめてきた。涼子の座っている反対側、部屋の右奥のほうに目を向けると、ずいぶんと使い込まれていそうな茶器が置いてあり、壁には《誠心友愛》

と書かれた掛《か》け軸《じく》があった。

「この部屋はもともと茶道部が使ってたらしいんだけどね」

座布団をわたしの前に置きながら、小百合は話す。

「部員が増えて、もっと広い部屋に移っちゃったみたい。それで、空《あ》き部屋になってたところを使わせてもらってるの」

小百合はそう言って、ダークブラウンの長い髪を一撫でする。わたしが座布団の上に正座すると、右隣に雷神、左隣に風神が座った。

「心配いらないわ。らいちゃんとふうちゃんはうちのメイドだから。大学側にも二人の入構許可は取ってあるし。あなたに危害を加えたりなんてしないから、安心してね」

「メイド……？」

わたしの中でのメイドという概念からは一〇八度くらい回れ右をしている。その名のとおり、雷神Tシャツのほうがライカで、らいちゃん。風神Tシャツのほうがフウカで、ふうちゃんとのこと。

そもそも小百合は、メイドを雇うことができるほどのお金持ちなのか。それも、二人も。そういえば涼子が小百合のことを《お嬢》と呼んでいたので、どこかの資産家の令嬢《れいじょう》なのかもしれない。

ふと、右隣の雷神と目が合う。すかさず、バチンッ、とウインクされた。

「それで、用件はもうわかってると思うんだけどね」

そう言って、小百合は居《い》ずまいを正す。

彼女からのメールを、そしてコンピュータルームでの会話を思い出した。

「まあ、だいたいは……」

「改めて、私は医学部医学科二年生の豊福小百合よ。去年からこの競プロ部に所属してて、今は代表を務めてるの」

わたしは何も答えず、先を促した。

「つい最近まで競プロ部には四年生が二人いたんだけど、この春で卒業だから私だけになっちゃって。それでりょーちゃんを誘《さそ》ったんだけどね」

小百合から視線を向けられると、涼子は八重歯をのぞかせながら「いえーい」と笑った。

「でも、うちの大学の規程だと、部の存続には部員が最低でも三人必要なの。つまり、あと一人」

「そうなんだ……競プロ部のことはまだよくわかってないけど、プログラミングだったら、他にも入部してくれそうな人はいるんじゃないの？　特に工学部とか」

「そうなの。そうなんだけどね。それこそ最初は情報工学科の女子たちを誘ってたんだけど、かろうじてりょーちゃんが入部してくれたくらいで。工学部の他の学科もあたってみたけど……だいたいみんな、部活動とかサークルそのものにあんまり興味がなかったりするのよね。少なからず興味があっても、プログラミングをやってるような人は、もうコンピュータサイエンス研究会のほうに入っちゃったりしてて」

その研究会の名に聞き覚えがあった。大学入学時に勧誘された記憶がある。たしか、広い意味でのコンピュータサイエンスを楽しむ集まり、という触れ込みだった。

「みんな、掛け持ちしてくれるような感じでもなさそうだったし……他にも、医学部とか薬学部とかでも心当たりのある人は誘ってみたんだけど」

小百合は首を横に振った。

競プロに関心がないのか、そもそもプログラミングに興味がないのか、それとも部活の掛け持ちはしたくないと思っているのか。いくつか理由となりそうなものは思いつくけれど、本当のところはわからない。

ふう、とわたしはため息が漏れる。

「なんとなく事情はわかったんだけど、それで、どうしてわたしなの？　たしかにプログラミングっていうと理系のほうが強そうかもだけどさ、それでも理系の人ってこの大学にいっぱいいるし。普段から講義とか研究とかでプログラミングをやってるような人たちなら他にもいそうだけど」

「まずね、部員は女子である必要があるの」

「女子？」

「そう、毎年開かれてる競プロの全国大会があるんだけど、学生の部で《全国大学競プロ女子最強王座決定戦》っていうのがあって。その大会に出場したいの」

「それって、なんで女子限定なの？」

「主催してるアルゴコードの社長が女性で、現状の競技人口の男性比率が圧倒的に高いから競プロの女性人口も増やしたい、活性化させたいっていう想《おも》いがあるらしくて。今はもうプレイヤーとしては引退してるらしいんだけど、その社長自身も以前は競プロの世界ランカーだったみたい。競プロのポテンシャルを秘《ひ》めた女性にもっと競プロのことを知ってほしい、楽しんでほしいっていう想いからその大会を開くようになったそうよ」

「ふうん……なるほど」

「そんなわけだから、誰でもいいわけじゃないのよ。そして全国大会で勝ち進むためには、数学やプログラミングが得意な女子じゃないといけなくって」

それで、と小百合はわたしの膝《ひざ》に手を置く。

「あなたなの」

「あー……」

わたしは返事に詰まって、頭の後ろで結い上げた髪を撫でつける。

「その、たしかに数学とプログラミングが得意な理系の女子ってなると、だいぶ限られてくるかもだけどさ……」

「競プロってね」

そう切り出して、小百合はわたしの目を見つめる。

「ただ単にプログラミングができればいいわけじゃなくて、数学的な問題が多く出題されるから数学そのものにも強くないといけないの。だから、全国大会で勝ち進むにはまず理系の学科に絞《しぼ》られるんだけど、その中でも特に応用数学科が一番望ましいと思ったのよ」

「そうなの？」

「私の考えでは、数学的なセンスって一朝一夕でどうにかなるものじゃないと思っていて。ハイレベルな力を身につけようと思ったら当然努力も必要なんだけど、向き不向きというか、それだけじゃない何かが必要なのよね、きっと」

小百合の話している意味は理解できないこともなかった。数学的なセンスはハイレベルになればなるほど努力だけでなんとかなるわけではない部分もある、というのはおおむね同感だ。自分自身に数学的なセンスが備《そな》わっているかといえば、応用数学科でそれなりに良い成績も収めているので、決してないとは言えないけれど、本当のところはわからない。

「シンプルに競プロを楽しみたいだけだったら、そこまでしなくてもいいのかもしれないけどね。でも、私は全国大会で勝ちたいの。それで応用数学科の女子をリサーチしたんだけど、条件に合致しそうな女子の中ではあなたが一番適してそうだなって感じたの。成績も優秀みたいだし」

「ふうん……」

「って、いろいろ言ったけどね。本当は純粋にピンときたんだよね。この間」

「この間……コンピュータルームで？」

「そう。あなたの横で見てて、キーボードを打つときの手の動きとか、画面を見てるときの没入《ぼつにゅう》してる表情とか、なんていうかプログラムと一体化してるような印象を受けたのよね。ビビッときちゃった」

「ビビッと」

「うん。絶対強くなるって思った」

勝手な印象でごめんね、と小百合は笑う。涼子は先ほどから黙って両腕を頭の後ろで組んだまま、笑みを浮かべていた。

小百合は、ライカとフウカに手伝わせて周囲に聞き込みをし、メールアドレスや成績の大まかな良し悪しなどの情報を得たようだった。自分の知らないところでいろいろと調査されていたのは少し怖いけれど、悪意はないようだし、小百合の真剣さやひたむきさは嫌いではない。

でも、部活となると身構えてしまう自分がいる。一緒に遊ぶくらいならまだしも、誰かと何かを目指して一緒に頑張る、ということに今の自分は抵抗を感じてしまう。競プロそのものの楽しさは身をもって理解できたけれど、競プロ部の一員として彼女たちと一緒に活動することには、軽々しく同意はできなかった。

わたしは小百合に告げる。

「ごめん。競プロ部には入らないよ」

小百合は眉間《みけん》に力を込めた。

「そこまで言ってくれるのは素直に嬉《うれ》しいんだけど、ごめんね。自分でも実際に競プロをやってみて、たしかに面白いなっていうのはよくわかったんだけど……でもやっぱり、部活っていうのはちょっと」

ごめんなさい、とわたしは頭を下げた。視界の端で、小百合が両の拳をグッと握《にぎ》る様子がうかがえる。そして、小百合が口を開いた。

「わかったわ、こうしましょう」

わたしは頭を上げ、彼女の顔を見た。こちらへ真っすぐに向けられた小百合の真剣な眼差《まなざ》しと、視線がぶつかる。

「私と競プロで対戦してちょうだい。それであなたが勝ったら、これ以上は引き留めないわ。だけど、もし私が勝ったら、そのときは競プロ部に入部してほしい」

「ちょっと、待って。一年以上、競プロやってるんだよね？　わたしはまだ始めたばかりだし、土日のコンテストにも参加したことないんだけど。実力が違いすぎて勝負にならなくない？」

「そしたら、ハンデ戦にしましょう。ルール自体は通常のコンテストと同じで。二倍ハンデつければ大丈夫だと思うけど」

「二倍って……ごめん、どういうこと？」

「あなたの得点と私の解答時間をそれぞれ二倍するのよ。あなたの得点の二倍が私の素の得点より高ければあなたの勝ち。同点の場合、あなたの素の解答時間が私の二倍した解答時間以下だったら、あなたの勝ちってこと」

通常のコンテストでは六問出題されて、100点から600点まで、100点刻《きざ》みだったはずだ。そして、制限時間は100分。問題を解く順番は自由だし、問題A、C、Dのように解く問題を飛ばしてもいい。どの問題から着手するのかはプレイヤーの自由だ。

仮に小百合が問題AからEまでの五問に正解すれば、そのときの合計得点は1500点。わたしがAからDまで正解して1000点だとすると、二倍すれば2000点になるので彼女に勝てることになる。

あるいは、わたしの得点を二倍したときに同点だったとすると、仮にそのときのわたしの解答時間が80分で彼女の解答時間が45分であれば、二倍して90分になるのでわたしの勝ちになる、ということか。

とはいえ、そもそも半《なか》ば無理やり連れてこられたのに、ハンデありとはいっても実力差が明白な対戦で、なぜ入部を賭《か》けないといけないのか。このまま帰ってしまおうかとも考えたけれど、両脇を雷神と風神に固められていて逃げられそうにもない。何より、小百合の眼力が鋭《するど》く、有無を言わさない様子だった。

自分のことを高く評価してくれて、頼りにしてくれること自体は素直に嬉しいと感じる。それに、過去のコンテストの問題CやDはだいぶ解けるようになってきていたので、まったく勝機がないわけでもなさそうだ。

「わかったよ」

わたしは小百合を見据《みす》えて返事をする。

「やろう」

小百合の気持ちに正面からしっかり応えることが誠実さだろう。

ふっ、と小百合は表情を柔らかくする。

「ありがとう。りょーちゃん、問題を選んでくれるかしら」

小百合から呼ばれた涼子は「はいよー」と言いながら、頭の後ろで組んでいた両手をほどく。そのまま、デスクに置かれてあったノートパソコンを開いた。

「そしたらテキトーに六問選ぶけん、ちょろっと待っててー」

涼子はカチカチとマウスを操作し始める。

「ありがとう、りょーちゃん。それじゃ、いったん休憩にしましょう」

「わかった。ちょっと飲み物買ってきてもいいかな？」

わたしが訊くと、小百合は雷神と風神に目配《めくば》せをした。

「もちろんよ。らいちゃん、ふうちゃん、お願いね」

二人は無言のままうなずく。

両脇からの圧をそこはかとなく感じた。

「あなたのことを信用していないわけじゃないけど、念のため、ね」

2

キャンパス内の自動販売機でエナジードリンクを買ってきて、競プロ部の部室に戻ってさっそく蓋《ふた》を開けた。プシュッ、と小気味良い音が鳴る。涼子はすでに問題を選び終えていたようで、小百合と何やら話をしていた。

「それじゃ、始めようかしら。さっきも言ったけど、ルールは通常のコンテストと同じでオッケーよね？」

わたしはうなずいて、小百合の言葉に応じた。制限時間は１００分、問題はＡからＦまでの六問で、どの問題から解いてもよい。問題Ａの配点は１００点で問題Ｆは６００点。１００点刻みだ。不正解の場合はペナルティとして、その問題を正解したとき正答時間にプラス５分、正解できなかったら時間の加算はなし。コンテスト終了時に得点が高いほうの勝ちで、同点の場合は正答時間が短いほうが勝ち。

「それじゃ、こっちに来て」

小百合は立ち上がって、涼子の斜《なな》め向かいの席に座った。小百合に促されるまま、わたしは小百合の正面、涼子の右隣の席に座る。それぞれのデスクの間は、座るとちょうど肩から上が見える高さのパーティションで区切られていた。

「そこに置いてある端末を使ってね」

わたしが座ったデスクの上に、ノートパソコンが置かれてあった。開いてみると、パスワードロックはかけられておらず、すぐにデスクトップ画面が表示された。

「ブラウザを開いたら、アルゴコードの過去問題リストのサイトがブックマークにあるはずよ。そこにアクセスしてみて」

小百合に言われるままブラウザを開くと、画面上部のブックマークバーにそれと思わしきサイト名のリンクがあった。アクセスしてみると、過去のコンテスト問題が時系列で一覧化されていた。初級者向けコンテストだけでなく、中級者向け、上級者向け、それらの他にも様々なコンテストの過去問題が載《の》せられてある。

「メニューのところに《バーチャルコンテスト》ってのがあるんやけど、そこ開いてみ」

涼子の言葉どおりにメニュータブを選択する。

「出てきた一覧の中にさ、《天神大競プロ部》っていうのがあるやろ？　それそれ」

バーチャルコンテスト名がいくつか並んでいる中に、そのコンテストはあった。おそらくこのサイトでは、ユーザが過去のコンテスト問題を自由に組み合わせて、独自にコンテストを設定できるようになっているのだろう。

「問題はテキトーに選んでおいたばい。二人とも何が得意とか不得意とかようわからんし、たぶんランダムな感じになっとると思うよ。あとさ、インターネットを使うのはイイんやけど、過去問やから検索したら答えが出てくるんよね、たぶん。せやから、ダイレクトに問題の答えとか公式解説とかを見るのはナシってことで。もちろん、コードのコピペもアウト。まあ正直、見ちゃったところでこちらからはわからんのやけど……そこは二人の良心に任せるっちゃね」

「ありがとう、りょーちゃん。問題ないわ。それじゃ、よければ始めるけど」

どうかしら、と小百合はわたしに言葉を向けてくる。

「オッケー」

わたしは短く返答する。小百合はうなずいて、ノートパソコンを操作した。すると、ブラウザ上のバーチャルコンテストのページで、カウントダウンが始まった。開始までもあと2分。

小百合のほうを見ると、目が合った。

そして彼女は口を開く。

「私は、この部を生まれ変わらせたいの。競プロ部をもっと強くさせたい。そのためには、あなたの力が必要なの」

小百合の強く、はっきりと意志の込められた言葉を受けとめる。四年生がいた頃の競プロ部はあまり活発ではなかったと聞いたけれど、彼女としては鬱憤《うっぷん》が溜《た》まっていたのだろうか。本当はもっと本腰を入れて、精力的に励《はげ》んでいきたかったのだろうか。

だから、と小百合は微笑《ほほえ》む。

「絶対に勝つわ」

彼女の言葉に、ぞわりと鳥肌が立った。思わず逃げ出したくなるような、びりびりとした気迫が伝わってくる。

「ぼちぼちいっくよー。……さぁん、にぃ、いーち、すたーとぉ！」

涼子の合図で、わたしの入部を賭けた対戦が始まった。問題Aから順に解いていく。

『小文字の半角英字からなる文字列Sが与えられます。Sの語尾が母音の場合は"vow"を、子音の場合は"con"をSの語尾に加えて出力させてください。ただし、ここでは"a","i","u","e","o"を母音とし、それ以外を子音とします』

与えられる文字列Sの長さは1以上50以下、文字は全て小文字の半角英字というのが制約条件だった。これは、単純な条件分岐で判定させれば問題ないだろう。すぐにコードを書きつけた。

```
s = input()
vow = ["a", "i", "u", "e", "o"]
if s[-1] in vow:
    print(s + "vow")
else:
    print(s + "con")
```

入力例1は"algocode"だった。語尾が"e"で母音なので"algocodevow"と出力されるはずだ。書き上げたソースコードを実行すると、想定どおりの出力が得られた。続く入力例2の"algorithm"をテストして、こちらも想定解である"algorithmcon"が画面に表示された。

すぐにソースコードを提出する。ジャッジが始まり、数秒も経《た》たないうちに緑色の《AC》が表示された。正解だ。

続く問題BとCも、単純なミスをしないように注意しつつ《AC》。小百合であればきっとこのくらいは難なく解いてしまうだろうから、まずはひと安心というところだ。

ふと、小百合のほうを見やる。カタカタカタカタッ、と彼女の指は一定のリズムを刻んでいて、その視線はノートパソコンの画面に集中していた。

気を取り直して、問題Dへ。これが解ければ、わたしの得点は1000点、二倍すれば2000点になる。小百合が問題AからEまで解いたとしても得点は1500点なので、彼女が問題Fまで正解して2100点にならない限り、勝つことができる。

――いけるかもしれない。

そして問題Dのページを開き、少しばかり驚いた。

問題文を二度読んで、題意をしっかりと把握《はあく》する。数学色が濃い内容で、1から9までの数字からなる数字列に対する倍数判定の問題だった。入力例1は"123"で、単純に１２３だけを調べればよいわけではなく、１３２、２１３、２３１、３１２、３２１も調べないといけないという設定が問題を複雑にしている。

ソースコードを組み上げていき、入力例を二つ試してみる。いずれも正答だった。

さっそく提出する。


……3/42 OK……7/42 OK……13/42 OK……15/42 NG…………

《ＷＡ》

あわよくばと思っていたが、すんなり正解とはいかなかった。

何かしら誤った処理結果が出力されてしまったのだろうけれど、その原因がわからない。そこから修正方針が立てられなくなって、手が止まってしまった。

向かい側の小百合と目が合う。ふっ、と彼女は一瞬笑ったような気がした。行き詰まりをなんとなく見透かされているような気がして、うっすらと寒気を感じる。

再び問題文へ目を通して解決の糸口を探そうとするものの、イメージも閃《ひらめ》きも湧《わ》かない。ただただ時間が過ぎていくばかりだった。

「あと15分やね」

涼子が告げる。

現在のわたしの得点は600点だけれど、もし小百合が問題Eまで解けていたとしたら1500点だから、二倍しても300点差で負けてしまう。そう考えると、焦《あせ》りが増した。

なんとかしてここを突破しないと――。

そこで、わたしは気づいた。数字列が一桁の場合の処理が抜けている。もし数字列が一桁であれば単純に割った余りがゼロになればいい。イージーな見落としが悔やまれる。

すぐにコードを修正して、再び入力例1と2をテストする。正しい結果が返ってきたことを確認し、念のため一桁の場合を含めた他のパターンもチェックすると、いずれもクリア。

「残り10分！」

先ほどより大きな、涼子の声。

――これで、いけるか。

祈《いの》るような気持ちでコードを提出した。ジャッジが始まり、四十二個のテストケースが回り始める。

……2/42 OK……8/42 OK……15/42 OK……

ジャッジのカウンターをじっと見つめる。

いつも以上に、じれったい。

……23/42 OK……31/42 OK……36/42 OK……

このままいって――――ッ！

……40/42 OK……42/42 OK.

《AC》

声には出さず、胸の内でガッツポーズする。これで得点は、１０００点。もしかするかもしれない、と頭をよぎる。視線を小百合に移すと、彼女は真剣な表情でノートパソコンの画面に見入っていた。

――まだ勝ちが決まったわけじゃない。

もしも小百合が問題Fまで解けていたら、２１００点。そうなると、このままでは負けが決まる。

問題Eのページを開くものの問題文が長く、題意がつかみにくかった。三回ほど読み返したところでようやく問題の趣旨が理解できたが、これは歯が立たないかもしれない。問題Fも確認したが、さらに難易度が高そうだった。

問題Eへ戻って、何か少しでもコードを書きたい、と再び問題に向き合ったけれど、解く方針が明確にならず手が動かなかった。

——これ以上は、太刀打《たちう》ちできない。

「しゅうりょおッ！　はいっ、そこまでね！」

涼子の合図で、一気に緊張が緩《ゆる》んだ。どうやらその表情から、向かいの席の小百合も同じらしかった。ふう、とわたしは一息つく。

「おっし、それじゃ結果発表ね！」

涼子が自身のノートパソコンにHDMIケーブルをつなげると、真っ白い壁に画面が投影された。バーチャルコンテストのページが映し出される。

「どれどれ結果は……コレやね！　ドンッ！」

パッと画面が切り替わり、結果が表示された。

愛奈　　１０００点　96:31
小百合　２１００点　98:43

「おおッ！　二倍ハンデやけど、お嬢の勝ちやね！」

言葉が出ない。

小百合はペナルティを一つ出していたようだけれど、全問正解していた。

——これが、実力の違い。

彼女は一年以上も競プロの経験を重ねていて、自分は始めたばかりなのだから、差があって当然だとはわかっていたつもりだが——得点差をはっきり突きつけられると、さすがにこたえる。

「いやぁ、さすが競プロ部代表やわ」

涼子の言葉に、小百合は口元を緩ませた。

彼女は椅子の背もたれに寄りかかって、

「どうしても勝ちたかったから」

と言って、ダークブラウンの髪を撫でた。そして、わたしのほうへ視線を向ける。

「約束どおり、入部してもらうわ」

——悔しいけれど、約束は約束だ。

わたしは一瞬目を閉じて、腹を決める。

「……わかった。入るよ。ハンデもらって、それでも負けるなんて、さすがに悔しいし。ハンデなしで勝つまでの間だけ競プロ部に入るってことでいいかな」

競プロそのものの楽しさ、どこまでも追求できそうな奥の深さというのは、ここ最近で自分なりに見出すことができた。部活というのは抜きに考えても、純粋に強くなりたいとは思う。

遠からず、ハンデなしできっと小百合に勝ってみせる。当分の間、退屈することはなさそうだった。

「ありがとう、それで構わないわ。期待してる」

小百合はそう言って微笑んだ。

涼子はわたしと小百合の顔を交互に見やる。

そして、ギュッとわたしに抱きついてきた。

「とりま、よろしくね！　まなたん！」

涼子特有の距離の近さに嫌な気はしない。むしろ、どちらかというと親しみを感じるのだが、今はどうしても素直に喜べない。

「……まあ、よろしく」

「なんなんもー、そんなクールに流しちゃって。いけずやわぁ、まなたんは」

「あのさ、まなたんはやめてくれないかな」

「えっ、可愛《かわい》いやん？　まなたんって」

「恥ずかしいから」

「じゃあ、まなぴっぴ」

「やめい」

わたしのツッコミに小百合が、ふふっ、と吹き出した。

そして彼女は席を立つと、わたしの隣に回り込んで訊《たず》ねてきた。

「それじゃ、なんて呼べばいいかしら？」

「決まっとるやん、べえやんでええっちゃろ？」

涼子はわたしが答えるよりも早くそう言って、にひひっ、と笑った。

――やれやれ。

「オッケー、それでいいよ」

「ありがとう。これからよろしくね、べえやん」

小百合が手を差し出す。

「よろしく」

わたしはその手をグッと握り返した。

「三人で強くなっていこうね」

そう言って小百合が微笑む。

そして涼子が、わたしと小百合の手を覆《おお》いかぶせるように摑《つか》んで笑った。

「なんや、楽しくなりそうやね！」

ふう、とわたしはため息が漏れた。

3

「それじゃ、これからのことを少し話しておきましょうか。りょーちゃんも聞いておいてね」

小百合の言葉に、わたしと涼子はうなずいた。

席を外していたライカとフウカが部室へ戻ってきたことに気づく。相変わらずライカはにこにこしていて、フウカは無表情なままだった。彼女たちは、部室内の物品の整理を始めた。

「改めて確認しておくね」

小百合は、壁に掛けられたホワイトボードの前に立った。

「私たちがこれからやっていくのは、もうわかってると思うけど、アルゴコードっていう会社が運営してる競プロサービスよ。競プロっていろんな種類があって、広い意味ではデータ分析とか情報セキュリティ技術とかをプログラミングで競うものがあったりするんだけど、私たちがやるのはアルゴリズムの実装を競うタイプ。アルゴコードではほぼ毎週、定期的にコンテストが開かれてるわ。誰でも自由に参加できるの。コンテストは初級者向け、中級者向け、上級者向けの三種類があって、まずは初級者向けコンテストをメインに参加していくことになるわ」

小百合はホワイトボードに箇条書《かじょうが》きで三種類のコンテストを書き並べた。

「ルールとか仕組みはもうだいたい知ってるでしょうけど、コンテストでは合計得点が高ければ高いほど良くて、ミスなく早く解いたほうが良い。ここまでは大丈夫よね？」

わたしは首を縦に振る。涼子もそれに続いた。

「続けるね。コンテスト終了後に、得点と正答時間に応じたプレイスコアっていう数字が算出されて、それによって自分のレーティングが決まってくるわけね。レーティングって、よくレートって略すんだけど、いわゆるそのプレイヤーの強さを数値化したもの。それで、レートによってランクが決まってて、ＥからＳＳＳまで八段階あるわ」

小百合がホワイトボードに三角形を書き、その内側に横線を引くのを目で追う。一番下の最も広い領域がＥ、それから上の領域へ順にＤ、Ｃ、Ｂ、Ａ、Ｓ、ＳＳ、そして一番上の最も狭い領域がＳＳＳだ。

「要するに、コンテストに参加して、高いプレイスコアを取って、自分のレートを上げて、ランクを上げていくっていうゲームね。ランクについては、たとえばレート0から399のプレイヤーだったらランクEに該当して、レート400以上になるとDにランクアップ。さらにレートが800以上になるとランクC。ランクの幅はレート400刻みってこと」

「ランクって、一気に上がることもあるの？」

ホワイトボードを指さしながら小百合に訊ねた。

「あるわ。たとえばEからDを飛び越えてC、とかね。コンテストで圧倒的に高いプレイスコアを出したときにそういうことが起きるわ」

「そうなんだ……まあ、滅多にないのかな」

「そうね、普段はそうそう起きないかも。あとは、定期的に開催されてるコンテストとは別で、年に一回開かれる大会もいくつかあるの。この間話したやつね」

コンピュータルームでの、全国大会の話を思い出す。通常のコンテストは個人戦だけれど、全国大会は団体戦だったはずだ。

「私たちがチャレンジするのは《全国大学競プロ女子最強王座決定戦》よ。次が第八回ね。その名のとおり日本全国の大学が対象で、各大学から参加できるのは三人一組だけ」

「えっ、大学ごとに一組だけ？」

わたしの疑問に、小百合は「そうなの」と返す。

「だから、大学によっては参加登録まえに学内選抜戦をやってるところもあるみたいね。同じ大学から複数チームが登録しようとした場合は運営側から連絡が入るらしくて、参加受付の締切までに一組に絞れなかったら、その大学からの参加は一切《いっさい》なしになるそうよ」

「けっこう厳しいね」

「運営上の問題なのかな。そのあたりの事情はちょっとわからないけど、とにかく各大学から三人一組で参加することになってるわ。それで、全国大会には予選と決勝があるの」

小百合はホワイトボードに《予選》《決勝》と書き込む。

「例年、九月頃に予選ステージが開かれて、ここで三分の一くらいに絞られるわ。去年は四十二校参加して、十六校が決勝進出だったのよ。予選では八つのグループに分けられて、よーいドンで一斉に同じ問題を解くんだけど、三人の総得点の高い順に各グループ上位二チームずつが決勝進出できるってわけね」

「なるほど……上位に入れなかったら、そこでおしまいってことだよね」

そうなの、と言って小百合はうなずく。

「だから、私たちの当面の目標は、まず予選ステージを突破すること」

小百合はホワイトボードに書かれた《予選》の字を青ペンで丸く囲《かこ》む。

「お嬢は去年も参加したんやったっけ？」

涼子が訊くと、小百合は無言で首を縦に振った。詳しく語らないということは、結果は芳《かんば》しくなかったのだろうと察する。

「予選を勝ち抜けると、十二月に決勝ステージがあるわ。二日間開催されて、一日目は十六校が四つのプールに四校ずつ分けられて、その中で総当たりで対戦して二校ずつ勝ち抜け。で、残った八校で二日目に決勝トーナメントっていう感じね。そのトーナメントでの一位が最終的な優勝校ってことよ」

小百合は《決勝》と書き込んだ箇所の下にトーナメント表を書く。

「まとめると、予選ステージ、決勝プールステージ、決勝トーナメントの三つを勝ち抜いていく必要があって、予選は九月、決勝は十二月に二日間開催。で、参加できるのは各大学で三人一組。うちの大学の場合は、たぶん他に参加予定のチームはいないだろうから、ここにいる私たちが参加することになると思うわ。去年もいなかったしね。そして私たちの目標は、決勝プールステージに進出すること。あと半年ちょっとで、少なくとも予選通過できるくらいの力をつけないといけないってことね」

「ははっ、改めて聞くとなんかヤバそ」

涼子が頭の後ろで両手を組んで言う。

「前回は四年生の二人と一緒に参加したんだけど……二人ともそんなに熱心な感じじゃなくて、ちょっとした記念参加みたいなノリだった」

小百合は語気を強める。

「だけど、私は本気で勝ち上がりたかったし、本気で挑《いど》んだわ。私の成績はまずまずで……言い方は良くないかもだけど、四年生の二人はだいぶ微妙な結果だった。三人の総合力で勝敗がつくから、予選で脱落しちゃったんだけどね。でも、決勝に進めなかったこと以上に、何よりも一番悔しかったのは……二人とも本腰入れてチャレンジしてくれなかったこと」

ギリッ、と小百合は歯を噛《か》みしめる。

「まあこんなもんだよねー、とか笑い合ってるのが許せなかった。それで、チームを組むなら誰でもいいわけじゃないんだってことがよくわかったわ。私は、ただ参加するだけじゃダメなの。勝ちたいのよ」

小百合の全身からみなぎるエネルギーのようなものを感じ取る。本気の姿勢がうかがえた。

「私は、この競プロ部を生まれ変わらせたいの。本気で、強くさせたい。私は医学部所属だから応用数学科や情報工学科みたいに、専門的に数学とかプログラミングとかを講義で学んでるわけじゃないわ。だけど私は、競プロに大きな可能性を感じてるの。

入学したときに上級生たちから偶然誘われたのが競プロを始めたきっかけだけど、実際にやってみて、同じ大学生どころか中学生や高校生でも化け物みたいなプレイヤーがそこかしこにいるってことを知ったの」

しびれたわ、と小百合は胸に手を当てて言う。

「それで、本気で挑んでも太刀打《たちう》ちできないような相手がゴロゴロいるこの競プロの世界で、自分がどこまでやれるのか突き詰めていきたいって思ったの。それだけじゃなくて、競プロ部としてうちの大学の強さを知らしめてやりたいのよ。自分一人だけが強いんじゃなくて、天神大学ここにありっていうのを全国に轟《とどろ》かせたいの。でも……正直、今は強豪校からすれば天神大学なんて弱小だと思われてるどころか、存在すら認識されてないんだと思う」

だから、と小百合は語気を一層強める。

「四年生たちがいなくなって、私は一緒に強くなれそうな、高め合っていけるようなメンバーを本気で探し回ったわ。それで、やっと出会えたのが、べえやん。りょーちゃん。あなたたちなのよ」

小百合の真剣な眼差しを真正面から受けとめる。力強い意志の込められた光を、彼女の瞳の奥に感じ取った。と同時にわたしはブルッと身震《みぶる》いした。

涼子が「あははッ！」と笑い出す。

「ええやん！　あたし、そういうの好きよ。やっちゃろうよ、それ。決勝進出してやろうよ」

そして涼子は立ち上がった。

「ねっ、べえやん！　べえやんもみなぎってきたっちゃろ？」

「そだね」

「またぁ、そんなクールに受け流しちゃうんやから」

このこのー、と涼子から肩をつつかれる。

涼子の気持ちには同感だ。

小百合とのハンデ戦に負けて入部したとはいえ、やるからには勝つ。

「そういうわけだから、二人とも改めてよろしくね。そうだ、らいちゃん、ふうちゃん」

小百合が呼ぶと、ライカとフウカは作業の手を止めて、わたしと涼子の隣にそれぞれ並んだ。

「今週末から、三人でコンテストに参加するわ。うちでやるから、準備よろしくね」

ライカが「かしこまりました」と頭を下げる。

フウカも無言のままライカに続いた。

「べえやんとりょーちゃんも、それでいいかな？」

「うちでって、お嬢の家であたしたちもコンテストに出るってことかいね?」

涼子が訊くと、小百合は両手を合わせて答えた。

「もしよければ、だけど。さっそく足並みを揃えていきたいなって。どう?」

「あたしはかまわんよー」

あははっ、と涼子は大きく口を開けて笑う。

なるべく別行動を取ろうと思っていたけれど、週末のコンテストくらいであれば、三人で参加するのも悪くない。それに、自分より経験の豊富な小百合とともにコンテストに出れば、何かしら学べることはあるだろう。涼子にしても、情報工学科でプログラミングには詳しいはずだから、得られるものはきっと多いに違いない。

「わたしもオッケーだよ」

「ありがとう、二人とも。らいちゃん、ふうちゃん、そういうことだから頼むわね」

「かしこまりました、お嬢」

ライカがにこにこと返事をし、フウカも無言でうなずいた。

不意に、ライカからの熱が込められた視線に気づく。フウカのほうは、涼子に熱い視線を注《そそ》いでいるようだった。

「あ、そうそう」

思い出したように、パンッ、と小百合が両手を合わせた。

「メンバー探しのときに、らいちゃんとふうちゃんにいろいろ手伝ってもらったんだけどね。そのときから、らいちゃんはべえやん推しで、ふうちゃんはりょーちゃん推しなんだって」

「は？」

涼子が声を漏らす。

「推し？」

わたしもなんのことかよくわからず、首をひねる。

「言葉どおりよ。どこか、惹《ひ》かれるところがあったみたい」

わけがわからない、という顔を涼子から向けられる。気持ちは一緒だった。

「らいちゃん、ふうちゃん。これからしばらく、べえやんとりょーちゃんにお世話になるから」

小百合の言葉にフウカは一つうなずいて、おもむろに涼子を抱きしめた。

「ぐええッ!?」

その様子はハグというより、さながらサバ折りだった。わたしは、あまりの驚きに立ち上がって一歩後ずさる。ドン、と弾力のある壁のようなものにぶつかって振り向くと、笑顔のライカと目が合った。瞬間、わたしはライカの太い両腕で全身に抱きつかれる。

「おおおッ!?　無理ムリむり……ッ!」

「あら、情熱的なスキンシップね。二人とも、べえやんとりょーちゃんのことが相当お気に入りみたい」

ふふふ、と小百合は楽しそうに笑っている。

わたしは声を振り絞った。

「いや、笑ってないで……タスケテ……ッ!」

「らいちゃん、ふうちゃん」

小百合の言葉が合図だったかのように、ライカは腕の力を緩めた。フウカも同様で、わたしと涼子は力なく畳の床に横たわる。

「はぁ……はぁ……べえやん……あたしら、これから強くならんとヤバいかもよ……物理的に」

「そだね……」

「よぉし!　それじゃ今日は、新しい競プロ部の結成記念に、うちでパーティをしましょう!」

小百合のひときわ明るい声が響いたかと思うと、視界がぐらりと傾き、自分の体が浮くのがわかった。

「えっ、えッ」

自分の顔と天井の間にライカの笑顔が見え、一瞬のうちにお姫様抱っこされたのだと気づく。隣ではフウカが涼子を抱きかかえているようだった。

「さっそく行きましょう！」

「うわッ!?」

小百合の合図で、そのままライカに外へ運び出されてしまう。フウカもそれに続いた。

「ちょ、待ってーッ！」

涼子の叫び声が、キャンパス内に響き渡った。

第三章　ブレイクスルーを求めて

1

新生競プロ部がスタートして、最初の土曜日の夜。

わたしは涼子と西新《にしじん》に来ていた。教育機関やオフィスビルが多い街で、商業ビルや商店街などもある、活気あふれた地域だ。夜九時から開催される初級者向けコンテストに参加するべく、わたしと涼子はそれぞれノートパソコンを持って、小百合の自宅へと向かった。

西新駅から徒歩圏内の場所に、小百合の住むマンションはある。彼女はライカ、フウカとともに三人で暮らしているらしい。小百合が大学進学を機に一人暮らしをしたいと両親に伝えたところ、総合格闘技の心得《こころえ》があるライカとフウカが一緒であればOK、という条件付きで承諾《しょうだく》されたようだ。あの雷神と風神は、二人とも豊福家において相当な信頼を得ているのだろう。

マンションに到着する。エントランスに入ってわたしがインターフォンで小百合の部屋番号を呼び出すと、数秒して、

『はぁい』

とライカの声が返ってきた。

「あ、愛奈ですけど。りょーちゃんも一緒です」

『どうぞぉ』

自動ドアが解除され、スィーンと開く。わたしと涼子は中に入り、そのままエレベータで最上階へ。外廊下の突きあたり、一番奥の部屋が自宅だと小百合からは伝えられていた。

「スゴかねぇ……こんなイイところの最上階とか」

そう言って涼子は、ほあぁ、と口を開ける。

小百合の両親はともに医師で、福岡市内にある総合病院を夫婦で経営しているという。一人娘の小百合は後継ぎを期待されていて、それに応える形で医学部に進学したようだった。あまり詮索《せんさく》するつもりはないけれど、彼女のボディガード兼メイドとしてライカとフウカを、というのもそれだけの資産家のなせる業《わざ》なのかもしれない。普通の大学生であれば、いかに女子の一人暮らしとはいえ、そう簡単に二人も雇うこと

なんてできないだろう。

インターフォンを鳴らすと、すぐにガチャリと鍵の開く音がした。

「どうもぉ」

中から顔を出したのはライカだった。

「ちわっス」

涼子が軽く頭を下げる。

するとライカは、にこりと笑って室内へと促した。

「さぁ、どうぞ」

玄関を抜けてリビングへ入る。三十畳以上はあろうかという広さで、カウンターの向こう側がキッチンになっていた。冷蔵庫の前にいたフウカがわたしと涼子に気づいたようで、無言で会釈《えしゃく》する。

「あ、来てくれたのね。いらっしゃい」

ベージュの長袖シャツにジーンズという普段よりもラフな格好をした小百合が、リビングに入ってきた。両手には、ノートパソコンとACアダプタを持っている。

「そっちのテーブル、どうぞ」

小百合に促されるまま、六人掛けのダイニングテーブルに座った。部室でのデスクの並びと同じで、わたしの左隣に涼子、正面には小百合が席に着く。そして小百合はテーブル下のコンセントにACアダプタを接続し、涼子はリュックからノートパソコンを取り出した。わたしもそれに続いて準備をする。

「コンテスト開始まで時間があるから、ちょっと確認しておきましょうか。基本的なルールはもうわかってると思うけど、気をつけなきゃいけないところだけ見ておきましょう。前回のコンテストの問題Aを開いてみて」

言われるままに、該当コンテストのページにアクセスする。問題文や制約条件、入力例、出力例などが記載されている。

「ひとまず、プログラムの実行制限時間には気をつけてね。いつもだいたい2秒なんだけど、まれに1秒とかになってたりすることがあるから」

小百合の言葉に、わたしは改めてページ上部に【実行制限時間：2秒】と書かれてあるのを確認する。

「これってさ、ジャッジが始まってテストケースを実行してるとき、2秒以内に何か出力されなかったら《TLE》ってことだよね？」

競プロを始めたばかりのときに、提出したプログラムが実行制限時間を超えて《TLE》を出してしまったことがあった。

わたしが訊ねると、小百合はうなずいた。

「そうね。その時点でアウトってことね」

「むふぅん……けっこう厳しかね」

言って、涼子が両手で頰杖《ほおづえ》を突く。

「これってさ、アルゴリズム的には正解を出せるとしても、計算量的にめちゃくちゃ処理時間のかかるコードを書いちゃったら《TLE》しちゃうってことやろ？　解ければなんでもイイっていうわけやないってことやろか」

「そうね、こういう制限があるからこそゲームとして成り立ってるってことかもしれないわね。二人とも知ってると思うけど、実行制限時間を超えちゃうとTime Limit Exceededで黄色ハイライトの《TLE》が表示されるわ。《WA》と同じで、正解したときにプラス５分のペナルティね」

涼子はわずかに首をひねる。

「ねぇお嬢、ペナルティってさ、まだちゃんとわかってないんやけど、コンテスト本番でどう効いてくると？」

「たとえば、コンテストが終了して私もりょーちゃんも得点が１０００点だったとするでしょう？　そのときは正答時間が短いほうが上の順位になるっていうのはオッケーよね？　つまり、もし私の正答時間が98分で、りょーちゃんの正答時間が96分だとしたら、２分短いりょーちゃんが勝ち」

「うん、せやね」

「だけど、もしりょーちゃんがペナルティを一つ出した上で問題に正解してたとしたら、プラス5分だから正答時間は96分じゃなくて101分っていうことになるの。だから、その場合は98分と101分で私のほうが短いことになるから、私の勝ちになるわ」

「あーね……そういうことなんや」

うんうん、と涼子は首を縦に振る。

「そう、だから早く正解することも大事なんだけど、ペナルティを出さないことも同じくらい重要なのよ」

「早く正確に、かぁ。シンプルやけど、そこが難しいんよね」

たしかに、涼子の言うように、過去のコンテスト問題を解いていてもスピードと正確さのバランスが難しい。早く解こうとすればするほど思わぬミスが発生してしまったり、制約条件を見逃してしまったりする。一方で、慎重になりすぎてもそれはそれで時間がかかってしまい、コンテストでは秒単位で順位が分かれるので上位を狙《ねら》うことは厳しくなりそうだ。結局のところ、たくさんコンテストに出て、実戦経験を積んで、肌感覚をつかんでいくのが一番なのだろう。

壁に掛けられた時計を見る。午後八時五十三分。コンテスト開始まであと7分だった。ライカとフウカもテーブルに着く。ライカは少女漫画を読み始め、フウカは編み物に取り掛かった。

「あと、コンテスト中にインターネットで検索するのは自由だけど、SNSとかでコンテストのことを発信したり、誰かとやり取りしたりするのは禁止ね。わかってると思うけど、オンラインだけじゃなくてリアルに会話するのとかもNGよ」

わたしと涼子は、ほぼ同じタイミングで小百合の言葉に無言のままうなずく。コンテストについての会話は禁止となれば、小百合、涼子とこの場に集まってはいるけれど、それぞれ黙々と問題に向かうことになるだろう。

「べえやん、これが初陣ね。あと1分でスタートだけど、心の準備はできてる?」

小百合が楽しそうに笑うのを受けて、まずはやれるところまでやろうと心に決めた。

「もちろん」

「オッケー。それじゃ、カウントダウンね……3、2、1、スタート!」

100分が経ち、コンテストへの初参戦は終了した。成績は良くも悪くもない、いかにも中途半端な結果に終わってしまった。問題Dまでは解けるだろうと内心で高をくくっていたけれど、実際はCまで解くのがやっとだった。涼子も似たような結果だったようで、あまり納得がいかないと言いたげな顔をしている。

「おつかれさま」

小百合がわたしと涼子に向かって微笑んだ。彼女もまた、少し疲れたような顔を見せている。競プロに一年以上取り組んで慣れているとしても、やはりコンテスト中は気が張るのかもしれない。

「ヤバかね……正直、ちょっとなめとったわ。思ったよりひどかったんやけど」

涼子も脱力したように、ため息交じりにつぶやく。涼子の言葉には同感だった。喉《のど》の渇きを思い出し、ライカが持ってきてくれたお茶で潤《うるお》す。

小百合のコンテスト結果を見ると、彼女は問題Eまで解けていた。しかも、ノーペナルティで。当然、わたしや涼子よりもプレイスコアは高くなるだろう。

「どう？　コンテスト、実感できた？」

小百合の言葉に、無言でうなずくことしかできなかった。

コンテスト終了後、20分ほどして今回の成績が開示された。わたしと涼子の得点はともに600点。得点や正答時間、その時点でのレート、そしてペナルティなどに基《もと》づいて算出されるプレイスコアは、700ちょっと。わたしに初めてついたレートは86だった。

補足だけど、と小百合が言う。

「レートの正確な計算式は公式サイトに載ってて、要はプレイスコアが高いほどレートも高くなるっていう感じね。すごくおおざっぱに言えば、今のレートより高いプレイスコアを出せばレートは上がるし、レートより低いプレイスコアを出せばレートは下がる。そんな感じかな」

小百合の成績を見ると、プレイスコアは1400以上出ていて、レートは1000を優に超えていた。今回のコンテストでさらにレートが上昇したようだ。わかってはいたけれど、改めて実力の差を見せつけられた格好になる。

「私のランクはCなんだけど、もう少ししたらBに上がるわね。でも、全国大会に出てくるプレイヤーはみんなそれ以上だったりするの。予選ステージが九月だから、あと半年足らずで三人ともそのくらいまで到達しないとね」

「それってさ、実際のところ、どうなん？」

涼子がやや弱気な表情で訊ねる。

「たぶん、やってやれないことはないいんじゃないかな。まあ、そうは言ってもあと数か月だと……相当精進しないと正直厳しいかも。競プロのコミュニティの間では、一生懸命努力することを《精進する》って言い方をすることがあるんだけどね」

だからさ、と小百合は続ける。

「プログラミングと数学、少なくともどちらかの素養《そよう》がしっかりしてないと、短期間で全国大会の決勝進出レベルまでいくのって難しいんだよね。普通にプレイして楽しむ分にはもっとゆっくりしたペースでもいいと思うんだけど、全国大会で他の強豪校に勝って決勝に進みたいってなると、ね。その点、二人ともその素養はきっとあると思ってるから、期待してるわ」

わたしは応用数学科だし、涼子は情報工学科だ。それぞれに得意とする部分は異なるけれど、それさえもなかったとしたら、予選であえなく敗退ということになるのだろうか。小百合が部員集めでメンバーを厳選していた意味がわかったような気がした。

「実際、そんな短期間でランクB以上になれる人って、いると？」

涼子が訊いて、お茶をすする。

「まれにそういうプレイヤーもいるわね。だから、やってやれないことはないんだと思う」

「そうなんや、むふぅう……」

「それにしても、二人ともすごいと思うわ。さすがと言うべきね。一回目、二回目のコンテストだと、問題Aは解けたけどBの途中で終わっちゃった、なんていうのはよく聞く話だから」

そう言って、小百合はわたしと涼子の顔を交互に見やる。

自分としては、今回のコンテストは初参戦ということもあって、まずは競プロの実戦の雰囲気をつかむことが第一目的だった。もちろん、あわよくば高得点を取りたいとは思っていたけれど、そう簡単にはいかないのが現実だということがよくわかった。

結果はありのまま受けとめて、あまり引きずらないようにしよう、と意識にとどめておくことにする。

九月の予選ステージまであと六か月ほど。それまでにしっかりと問題に慣れて、数多くの演習と定期コンテストでの実戦を経験したほうがよさそうだ。問題を解くにしても、ただ単に解くのではなく、アルゴリズムの知識、そしてプログラミングや数学の知識も身につけなければならない。やるべきことは途方《とほう》もなく積み重なっているように思えた。

「私も初めてのコンテストはズタボロだったし、大事なのは、これからしっかり精進していくことね。そうでしょう?」

わたしと涼子の気持ちを感じ取ったのか、小百合が諭《さと》すように言う。

「まあ、ぼちぼちやっていこうかいね」

へヘッ、と笑って、涼子は頭の後ろで両手を組む。

——やれることをやっていくしかない。

「やってやろう」

わたしは、気持ちを新たにする。

小百合も、涼子も、きっとそうだろう。

いつの間にか日付の変わる時間になろうとしていた。

2

コンテスト初参戦の週末が明けて、数週間が経った。

小百合と涼子は、講義がない時間は部室で問題演習をしているようだったが、わたしは自宅で過去のコンテストの問題を解き続けていた。ただ、コンテストのとき以外にも三人で一緒に練習や相談ができる時間を少しは取ったほうがいいという小百合の意見もあり、毎週水曜日には部室に集まることにした。

解いた問題数が百を超えたあたりから、だんだんと問題の癖《くせ》のようなものがわかってきた。それさえつかむことができれば、あとは単純なミスをしない限りは問題Cまでコンスタントに解けるようになってくる。問題Dあたりからはやや複雑なアルゴリズムをしっかり理解していないと解けないような問題が多くなり、そこが一つの壁になっていた。

「べえやぁん」

遠くからでもわかりやすい、グラデーションカラーの髪をした涼子がこちらに向かって手を振ってきた。隣には小百合の姿もある。

「おつかれ」

わたしも軽く手を上げて応じた。

「おつかれぇ。今日もべえやんのポニーテールはよう似合っとるねぇ。キュートやねぇ。げへへ」

「いや、げへへはヤバいでしょ」

「先生って、ここにいるの？」

小百合が指さした先は、キャンパス内の一角にある理学部研究棟。どこか物々しさを感じさせる雰囲気をまとった建物だ。

「そうそう。行ってみようか」

研究棟の中に入り、旧式のエレベータで四階へと向かう。廊下はひっそりとしていて、昼間だというのに薄暗《うすぐら》い。そして、廊下の突きあたりにその研究室はあった。ドアには張り紙がされてある。

『講義で単位を落としてしまった方へ。いかなる追試も救済措置《きゅうさいそち》も行っておりませんが、珍しいビールを提出してくれた方には単位の代わりに特製・えっちゃんフィギュアを贈呈《ぞうてい》します。誰よ、そんなもんいらんから単位くれって言ったのは！　以上！』

木村悦子《きむらえつこ》、理学部応用数学科・准教授。

名だたる数学者たちが何十年も解けずにいた難問を証明したことをはじめとして、三十代前半にして数々の学術賞を受賞し、輝《かがや》かしい研究業績を挙《あ》げていると耳にしていた。複数の大学から教員として招聘《しょうへい》の話が出ていたようだが、食べ物とお酒が美味《おい》しい地域だからという理由で、ここ福岡にある天神大学の理学部応用数学科に異動してきたとのこと。近々、その若さにもかかわらず教授への昇格も予定されているとかいないとか。

研究室のドアをノックすると「ほーい」と声が返ってきた。

「失礼します」

わたしが部屋の中に入り、小百合と涼子がそれに続いた。

赤紫色の緩い巻き髪を低めのツインテールにした、小柄な女性が出迎《でむか》える。ポップなヒヨコのイラストがプリントされたTシャツに黒いスキニージーンズといったラフな出《い》で立《た》ちで、教員ではなく現役の大学生といっても通用しそうなほど若々しい風貌《ふうぼう》をしている。

「おう、どうした数学ガール」

そう言って悦子は、にやりと笑った。応用数学科の悦子担当の専門科目で面識《めんしき》はあったので、彼女もわたしのことを憶《おぼ》えていたのだろう。

「ん？　そちらは？」

悦子は小百合と涼子のほうへ視線を移す。こんにちは、と小百合が頭を下げると、どもっス、と涼子も続いた。

「先生、今ちょっとお時間よろしいですか？　相談したいことがありまして」

わたしが言うと、悦子は大きな縁取《ふちど》りの眼鏡を軽く持ち上げた。

「いいよー。そのまえに、ちょっとメール一本だけいいかい？　そこ座ってて」

促されるままに、部屋の中央に置かれたテーブルにわたしたちは並んで座る。壁一面に置かれた灰色のスチール棚には数学者らしく専門書が並べられてあるけれど、棚全体の三割にも満《み》たない。ほとんどは国内外の珍しいビールの瓶《びん》をコレクションしたものが飾《かざ》られていて、学術賞の虹色のメダルや黄金のトロフィーは肩身が狭そうに隅《すみ》のほうに置かれてあった。

「ごめんごめん、お待たせー」

悦子はわたしたちと向かい合うように座る。

「で？　どしたん？」

応用数学科の学生であるわたしが代表して話す。

「実は、えっちゃんにお願いがあるんです」

ほう、と悦子は腕を組んだ。彼女は応用数学科の学生たちからは《えっちゃん》と呼ばれている。教員に対する呼び方としてはかなりフランクだと思われるが、悦子のほうも堅苦《かたくる》しいやり取りはあまり好《この》まないようで、すっかり定着していた。

「何なに、改まって。お金と恋愛以外のことなら相談に乗るさぁ」

「あの……えっちゃんに、顧問になってもらいたくて」

「顧問？」

「競プロ部っていう、学内の部活なんですけど」

「ほうほう。競プロって、競技プログラミングのこと？」

「あっ、知ってるんですか？」

「やったことはないけどね。そういうものがあるっていうのは知ってるさぁ」

　ふむふむ、と悦子は頰に手を当てる。

　事の経緯《けいい》を悦子に説明した。三人で競プロの全国大会の決勝進出を目指していて、強くなるためには闇雲に精進を重ねるだけでは不十分で、優秀な指導者の下でしっかりと学ぶ必要があるという考えに至ったこと。特にアルゴリズムと数学の理解についでは、生半可《なまはんか》な知識では実力の底上げにつながりにくく、学内の数学教員に顧問として入ってもらったほうがよいという話になったこと。

「予選ステージまであと半年もなくって。今よりもっと強くなるために、数学を教えてもらえる先生を探してたんです」

「そしたら、うちの大学の応用数学科には優秀で、すんっごいウツクシイ、悦子センセがおるやん！ってことに気づいて、それやぁ！ってなったんス！」

それまで黙っていた涼子が大ぶりなアクションで声を張った。いかにもわざとらしいけれど、この際目をつむることにする。

「ふーん。わかってんじゃん」

まんざらでもない様子で、悦子は努《つと》めてすまし顔を保《たも》とうとしているようだったが、鼻の穴がピクピク動いていた。

「悦子先生、お願いします。どうか私たちにアルゴリズムと数学を教えていただけませんか」

そう言って、小百合も身を乗り出した。

ふーむ、と悦子は何かを考えるようにする。

「競プロ、ねえ……」

「ダメですか？」

わたしが訊くと、悦子は首を横に振った。

「ダメってことはないよ。顧問になるくらいだったら全然かまわんさぁ。ただ、これでもわたし、いつも講義があったり会議があったり、わりと多忙なんだよねぇ。顧問を引き受けるのはやぶさかじゃないんだけど」

ちらっ、ちらっ、と悦子はスチール棚の中に並べられたビール瓶に目をやる。

――なるほど、そういうことか。

小百合もその波動を感じ取ったのか、おもむろに口を開いた。

「先生。そういえば私の家には、世界各国から集めたいろんなお酒がありまして」

悦子は眼鏡を持ち上げる。

「この間もビールのコレクションがたくさん増えたばかりで、ちょうど置き場に困ってたんですよ。それに、せっかくならビール通の方に見るのも飲むのも楽しんでいただけたらなぁ、なんて思ってたところなんですよね」

「……そっかそっか。そういうことなら仕方ないね、ビール通の悦子センセがぜひとも協力してあげないとね」

悦子のほくほく顔に、わたしたちは顔を合わせてうなずいた。

そして小百合が頭を下げる。

「悦子先生、よろしくお願いします」

「はいよー、えっちゃんでいいさぁ」

「ありがとうございます。私は医学部医学科二年生で、競プロ部代表の豊福小百合です」

「あたしは情報工学科二年生の井手上涼子でーす」

よろしくお願いしまーす、と涼子も頭を下げる。

「はいはーい。そんで、顧問ってゆーても、わたしは何をやればいいの？」

「私たちにアルゴリズムと数学の講義をしていただきたいと思ってます」

小百合が答える。

「細かい手続きとかもありますけど、事務的なことは私のほうでやりますので。なるべくお手間は取らせないつもりです」

「おっけー。部活は毎日やってるの？」

「今のところは各自自由にやってます。でも、えっちゃんが講義をしてくれるのであれば、たとえば毎週木曜日の夕方とかに、定期的にやれればなって思ってます」

「はいよ、木曜日の夕方ね。おっけーだよ。まあ、講義と会議の時間以外だったらたいてい研究室にいると思うから、いつでも声かけてくれればいいさぁ」

「ありがとうございます」

小百合が頭を下げ、わたしと涼子もそれに続いた。

そしてわたしたちは、研究室をあとにした。ばいちゃー、と悦子が手をヒラヒラとさせて見送ってくれる。

そのまま部室に向かい、ドアを開けると、ライカとフウカが新しいデスクや本棚を設置しているところだった。部屋の奥にあった《誠心友愛》の掛け軸は、《乾坤一擲《けんこんいってき》》と力強く書かれた掛け軸に置き換《か》わっていた。

「らいちゃん、ふうちゃん」

小百合が二人に声をかける。

「瓶ビールを用意しておいてもらえるかしら。世界各国の珍しいやつ。できれば二、三十種類くらいお願いね」

「かしこまりました」

ライカは即答する。フウカも無言でうなずいた。

——ん？

用意しておいて、ということは。

「お嬢、ビールのコレクションの話、もしかしてハッタリだったの？」

「もちろんよ。私、ビールはあんまり飲まないし」

「マジか……えらい度胸《どきょう》やな」

涼子は舌を出して、両目をぐるりと回す。

「こういうのはね、しれっと言ったもの勝ちなのよ」

小百合は、とびっきりの笑顔でわたしと涼子にウインクをした。

3

次の木曜日。

さっそく悦子に連絡を取って、講義をしてもらうことになった。部室に集合し、わたしたち三人はそれぞれの席に、そして悦子はホワイトボードの前に立つ。

「おーし、ほんじゃ始めんぞー」

普段の講義のような調子で、悦子がマーカーペンを手に取る。

「はい、井手上ちゃん。アルゴリズムとはなんだね？」

「えっ？　あたし？」

急な質問に、涼子は面食《めんく》らった様子でキョロキョロする。

「えっと……アルゴの、リズム……？」

「ぶっぷー」

「待って待って！　えっと、アルゴリズムやろ？　知っとるし！」

「井手上ちゃん、ホントに情報工学科の学生かね？　真面目にやんなさいよ」

「あれや、アルとゴリのズムや！」

「不可」

「うわーん！」

「そんな調子でよくここまで進級できたわね……ほい、それじゃ長谷部ちゃん」

「あっ、はい」

今度はわたしの番だった。

「手順です」

「シンプルだねー、もうちょい具体的に言うと？」

「そうですね……何かしらの問題を解くための手順で、計算可能なもの、ですか」

「すばらしい」

パチパチパチ、と悦子は拍手する。

「よくプログラミングのテキストとかで、料理のレシピみたいなもの、みたいな紹介がされるんだけどさ。まあ、間違ってないんだけど、ちょっと違うところもあるんだわさ。その違いがなんだかわかるかね、豊福ちゃん」

小百合は頬に手を当て、考えるようにする。

そして悦子に向かって答えた。

「料理のレシピもアルゴリズムもそれぞれ手順を表したものですけど、レシピの記述には曖昧《あいまい》さが含まれますね。でもアルゴリズムは、そういう曖昧さがなくて、もっと厳密なものだと思います」

「さすが、競プロ部代表。そのとおりさぁ。料理のレシピの場合、例えば同じカレーの作り方だとしても《適量》とか《弱火》とかってさ、人によって理解が異なってしまうことがよくあるのよね」

悦子はペンでホワイトボードに、1から32までの数字を横並びに書きつけていく。

「だけど、プログラミングで使われるようなアルゴリズムってのはそういう曖昧さを基本的には許容《きょよう》しないわけよ。例えば、配列の要素を並べ替えるアルゴリズムを使うとするじゃない？　そのとき条件さえ同じだったら、誰が何回試行しようとも、毎回全く同じ結果が得られるわけさぁ」

悦子は笑って、眼鏡を持ち上げた。

「まあ、乱数とか入ってくるとまたちょっと話が変わるけど、ここではそこまで深掘りしないでおこうか。概念的な話が続いたから、手っ取り早く体感してもらおうかね。それじゃ、長谷部ちゃん」

コンコン、と悦子はペン先でホワイトボードをつつく。

「ここに1から32までの数字があるから、どれか一つ選んでちょ。あっ、口に出さないでね」

とっさに目についた《28》を頭に思い浮かべる。

「オッケーです」

「よし、それじゃ今からわたしが五回質問するから、長谷部ちゃんの頭の中にある数字を当ててみせるよ。長谷部ちゃんは、わたしの質問にイエスかノーで答えてね」

「了解です」

小百合は黙ったまま微笑んでいる。

なんのことか、もうわかっているのかもしれない。

「いくよ。その数字は、17以上ですか？」

「イエス」

「二つ目の質問。その数字は、25以上ですか？」

「イエス」

なるほど。

「三つ目。その数字は、29以上ですか？」

「ノー」

そういうことか。

だんだんと仕組みがわかってきた。

「次、四つ目ね。その数字は、27以上ですか？」

「イエス」

「最後。その数字は、28ですか？」

「……イエス」

「という感じで、五回の質問で28が正解だってことがわかるわけよ」

おおーっ、と小百合と涼子から拍手が起こる。

「はい、豊福ちゃん。このアルゴリズムの名前は？」

「二分探索法、ですね」

「正解。ソートされた列に対する探索アルゴリズムの一種ね。ソートされてなかったり、重複があったり、大小関係が定義できないようなものには使うのが難しいけどさ。今回みたいに、1から順に並んでる数字列の中からお目当てのものを探すような場合には、最初から最後まで一つずつ調べていくより断然早いわけよ」

——そういうことか。

1から調べていった場合、答えが32だとすると「その数字は1ですか？　2ですか？」と質問を繰り返さないと正解にたどり着けない。それでも、32くらいであれば大したことないけれど、これが数億、数百億ともなれば、コンピュータで処理したとしてもそれなりに時間がかかる。

少なくともアルゴコードでは、ジャッジのときテストケースに対して2秒以内になんらかの出力がなければ《TLE》で不正解になるので、先頭から順に調べていくというのはアウトになりがちだ。

「てな感じで、アルゴリズムによって計算効率が良いものもあるし、比較的劣《おと》るものもあるのよ。ただ、それぞれのアルゴリズムには前提とか使いどころがあるから、それをちゃんと理解したうえで適切な場面で使えるようになれば、競プロでもグンとレベルアップできるってわけさぁ」

「そうなんやけどね……ちゃんと理解して適切な場面で、ってのが難しいんよねぇ」

涼子は困り顔で、両手を頭の後ろで組む。

「あとは、超基本的なことでミスらないようにね。たとえば、二分探索法に限らないけど、探索範囲を間違えちゃうとか、配列の要素の指定範囲がズレちゃうとか。そのあたりはいつも気をつけるようにしたほうがいいかな。まあ、いろいろ言ったけど、アルゴリズムってものはそんな簡単に身につくようなものじゃないから、焦らずしっかりとやっていけばいいさぁ」

にゃははっ、と悦子は軽快に笑った。

4

それから悦子は、基本的なアルゴリズムについてアルゴコードの過去問を交えながら解説してくれて、わたしたちはアルゴリズムと数学の理解を徐々に深めていくことができた。特別講義が功《こう》を奏《そう》したのか、しばらくすると三人とも毎週末のコンテストではレートを伸ばし、わたしと涼子は800ちょっとまで上がって、揃ってランクCになった。小百合はついにレートが1200を超えて、ランクBに到達した。さすがは競プロ部代表といったところだ。

アルゴコードに登録している全プレイヤーのうち、七割程度が一番下のランクEだ。Dに上がるだけでも上位三割に入ることになるけれど、そこからC、B、Aと上がっていくのはさらに狭き門となっている。全国大会での決勝進出という大きな目標を掲《かか》げた以上、できることを最大限にやっていくつもりだ。

だけど、部活というものにはどうしても一歩距離を置いてしまう。水曜日の集合や悦子の特別講義、小百合宅でのコンテストの参加には顔を出すものの、それ以外は基本的に一人で進めていた。涼子なんかは「もっと一緒にやろうよー」と何度となく言ってくるけれど、今はまだいいかな、と思ってしまう。小百合も涼子と同じ気持ちのようだが、無理強《むりじ》いはしてこない。わたしとしてはありがたくもあり、忍《しの》びない気持ちもわずかに芽生《めば》えた。

危なげなく進級できたわたしたちは、憂《うれ》いなく桜の季節を迎えた。まだ右も左もわかっていない新入生たちがやってくる時期だ。入学式を終えて数週間ほどは、学内のあらゆる部活やサークルがキャンパス内で勧誘活動を行う。競プロ部も例外ではなく、ライカとフウカにも協力してもらって、特に理系の新入生を狙って誘ってみるものの、新入部員はゼロだった。

「ごめーん」

この日、わたしが部室に入ると、ムワッとした空気が室内にこもっていた。キャンパス正門付近で必死の勧誘を続けていた小百合と涼子だけでなく、ライカとフウカもなぜかウサギの着ぐるみ姿で、四人とも上半身部分だけを脱いでTシャツ姿で汗だくになって麦茶を飲んでいた。

わたしは、手に持っていたコンビニのレジ袋を持ち上げる。

「食べて食べて」

「おっ、何なに？」

涼子が袋を受け取る。中には、プリンやモンブランなどのデザートがパンパンに詰め込まれてある。

「今日はわたしだけ勧誘に行けなかったから、罪滅《つみほろ》ぼし」

「うわーい！」

涼子は「あたし《超絶ふわとろ☆プリン》ね！」とはしゃぎながら袋から取り出す。

「ありがと、べえやん」

小百合も袋からミルフィーユを取りながら言う。

「ううん。やっぱ……厳しそ？」

「そうね」

小百合は苦笑いする。新入生たちに人気があるのはテニスサークルや軽音楽部のような、見た目にも楽しそうな、華やかなサークルや部活だ。これはもう例年のことのようだし、気持ちはわからないでもない。

荷物をデスクに置いて、ライカとフウカにもデザートを渡した。二人は想定外だったのか「ふおおおッ！」と喜びの咆哮《ほうこう》をあげる。

「いやぁ、お嬢が必死に部員を探してた気持ちが少しだけわかった気がするわ……」

涼子がプリンを頰張《ほおば》りながら言う。

「みんな、プログラミングとか数学とか、そこまで興味ないんかいな？　理系の人やったら少しは興味あるやろ！　とか思っとったけど、甘かったね……」

「そうね……」

小百合は遠い目をする。

大学の規程では、部活やサークルには最低三人が所属していればよいので、すぐに廃部になるようなことはないはずだ。でも、この調子で新しい部員が入ってこなければ、いずれは部が潰《つぶ》れてしまうだろう。

「今週のコンテスト、どうしようかいね？」

涼子が紙パックのレモンティを飲みながら小百合に訊いた。

「出るでしょう？　いつもどおり、うちでいいかしら」

「せやね、なんか毎回悪いね」

「ううん、むしろありがとう。らいちゃんとふうちゃんも、べえやんとりょーちゃんが来てくれて喜んでるし」

ライカとフウカはというと、お目当てのケーキをめぐってじゃんけんをしていた。

「べえやんとりょーちゃんが来る一時間以上まえからソワソワしてるんだから」

「ははっ、そうなんや」

「ソワソワっていうかムラムラっていうか」

「それはヤバくない？」

涼子は乾いた笑いを浮かべる。

ライカに担がれてダッシュされたこと、サバ折りされたこと、お姫様抱っこされたことを思い出して、わたしも苦笑いした。

そういやさぁ、と涼子がプリンを食べながら言う。

「あたし、あっちのサークル辞《や》めたんよね」

涼子は大学に入学して以来、テニス愛好会と称して実態はほぼ飲み会をしているだけのサークルに所属していたらしい。

「なんかさぁ、あっちは一年生がいっぱい入ったみたいやし、もうええかなぁみたいな。ていうか、テニスやっとらんし」

「それでいいと思うよ」

そう言ってわたしが笑いかけると、涼子は「うん」とうなずいた。

「ちょっと気が楽になったかもしれんね」

「スイーツはここかぁッ！」

バァン、と部室のドアが開き、Tシャツにスキニージーンズ姿の数学者が現れた。

「あ、えっちゃんの分、もうないですよ」

わたしが言うと、悦子はデザートの空の容器が散乱していることに気づいたようで、あからさまに肩を落とす。

「うそぉん……」

「いやいやいや、えっちゃん、知ってたん？」

涼子は食べ終わったプリンの容器を片付け、エクレアを頬張って笑う。

「なによ、口の周りチョコだらけにして！　知ってたに決まってんでしょ！」

「ウソやろ、どんだけ超能力者なん」

「わたしクラスの数学者になると、どこからでもわかるようになるのよ。スイーツの波動を」

「いやいや、それヤバすぎん？」、
んじゃコレあげるー、と涼子は確保してあったプチシューの箱を悦子に手渡す。

途端《とたん》に、悦子は目を輝かせた。

「井手上ちゃん好きー」

「あたしもえっちゃん好きー」

ねー、と二人は見合って体を横に傾ける。

「えっちゃん、会議はもう終わったんですか？」

わたしが訊ねると悦子は、クイッと眼鏡を持ち上げた。

「そうよ、やっと終わったわ。新年度早々に学科運営についての話し合いとか、堅苦しくってやってらんないっての」

わたしは思わず吹《ふ》き出してしまう。

「大丈夫なんですか、そんなこと応用数学科の学生の前で言って」

「いいのよ、教授たちの前でも普通に言ってるから」

「こわ！　えっちゃん、クビになるんやないと？」

涼子がおどけて言う。

「そんときゃそんときよ」

フン、と悦子は鼻を鳴らす。

「あ、でも、今は君たち競プロ部がいるから、それだけは心残りかな」

「なんやなんや、そんな調子イイこと言ってー」

ねー、と涼子と悦子は再び見合って体を傾ける。

「そうそう、本題はスイーツじゃないんさぁ」

ポン、と悦子は両手を叩く。

「あのさ、君たち、遠征試合に行ってみない？」

「遠征？　それって、他の大学の競プロ部と勝負するってことですか？」

小百合が訊ねた。

「そうそう、そゆこと。わたしの後輩が別の大学の教員なんだけどさ、そこの競プロ愛好会の顧問をやってるらしくて。んで、そこのメンバーも今度の全国大会に出るみたいなんさぁ」

「えっ、まぁじで！　ソレってさ」

涼子がわたしと小百合の顔を見る。

「やるしかないわね」

言って、小百合はわたしのほうへ目を向ける。返答を求めているようだった。

たしかに、全国大会に出場する予定のプレイヤーたちと対戦できるのは、しかも直接会うことができる機会というのは、そうそうあるものではないだろう。自身のレベルアップのためにも、良い経験になるかもしれない。

「やってやろう」

わたしがそう言ってうなずくと、涼子が「いえーい！」と飛び跳《は》ねた。

「遠征試合て！　すごっ、なんか部活っぽいやん！」

「りょーちゃん、部活だからね？　それでえっちゃん、相手はどこの大学なんですか？」

小百合は声を弾《はず》ませる。

「うん、早乙女《さおとめ》大学だわさ」

「おぅふ……」

涼子が声を漏らす。

早乙女大チームは、前回の全国大会では惜《お》しくも決勝トーナメント進出を逃《のが》したものの、それ以前の大会でも決勝プールステージ常連校であるらしい。いつだったか、小百合から聞いたことがある。

「相手にとって不足はなかね」

「りょーちゃん、足がちょっと震《ふる》えてるわよ」

小百合が涼子の膝を撫でる。

「コレはアレや、武者震《むしゃぶる》いってヤツよ！　……とは言うてもなぁ、そんな強豪校にあたしら、勝てるんかいな？」

「やれるよ、きっと」

凉子の目を見ながら、わたしははっきりと告げた。

彼女は一瞬ハッとした顔をして、ゆっくりとうなずいた。

——正直なところ、相当苦戦することは間違いないだろう。

でも、いろいろと勉強になりそうだし、強豪校というものを肌で感じることができるチャンスだ。

もっと強くなりたいなら、この機会を逃すわけにはいかない。

何より、勝負事はやってみないとわからない。

きっとやれる、そう信じることからわたしたちの勝負は始まる気がした。

「まあ、どーんと胸を借りるつもりでやってみたら？」

悦子がケラケラと笑う。

「あちらさんもゴールデンウィーク明けくらいまでは新歓とか学会とかで慌《あわ》ただしいっぽいから、行くならそのあとかな。たぶん、五月末か六月上旬くらい。そんじゃ、決まりってことで！」

パン、と悦子が両手を合わせた。

「あちらさんには、わたしから伝えとくさぁ」

ばいちゃー、と悦子は部室をあとにした。


翌日の夜十一時。

わたしは涼子と一緒に、いつものようにノートパソコンを持って小百合のマンションに来ていた。夜九時からの初級者向けコンテストに参加し、結果は三人ともレートアップだった。わたしのレートは900強まで上がり、ランクBの到達ラインである1200に着々と近づいている。涼子もわたしと同じくらいのレートだった。

——何か、ブレイクスルーがほしい。

そう感じることが多くなってきていた。

レートが高くなるにつれて、さらに上げることがだんだんと厳しくなってきた。ここで一気に実力アップできればレートを大きく上昇できるだろうとは予想しているけれど、そのきっかけをつかめないままでいる。

「遠征の話だけどさ」

リビングのテーブルで、小百合はコーヒーをすすりながら口にする。わたしと涼子も席を同じくしていた。

「相手は早乙女大だけど、どんな人たちなんだろうね」

うーん、と涼子がうなる。

「せやな、想像つかんけど……同じ全国大会に出場するつもりってことは、みんな女子ってことよね。ゆうて、競プロやってる女子大生って他に会ったことないや」

アルゴコードの公式サイトのランキング一覧から、各プレイヤーの成績とプロフィールを参照できるようになっている。でも、あくまでオンラインで完結しているサービスなので匿名の可能性も高く、所属の真偽《しんぎ》もわからない。

加えて、ユーザ名以外の項目の記載は任意のため、所属欄が空白になっているプレイヤーも多かった。ランキング一覧でキーワード検索をしてみたけれど、早乙女大に所属していると思われるプレイヤーは複数ヒットするものの、誰が遠征試合で闘《たたか》うことになる相手なのか判別できなかった。

そろそろ寝よっか、と小百合がテーブルから立ち上がる。この日は、小百合宅に泊まることになっていた。

部活としては週に二回、水曜日の集合と木曜日の悦子の特別講義以外にはほとんど顔を出していないけれど、週末のコンテストも含めて小百合、涼子と過ごす時間が長くなり、友達としても二人とは仲の良いほうだと自覚している。もともとあまり深い友達付き合いをするタイプではないわたしにしては、珍《めずら》しいことかもしれない。これはこれで悪くはないな、という気がしていた。

小百合に促されるままリビング隣の客間に入ると、わたしと涼子の分であろう、二組の布団が敷《し》かれてあった。コンテスト時間中に、ライカとフウカが用意してくれたものに違いなかった。

「それじゃ、おやすみ」

小百合が手を振って立ち去る。

わたしも涼子も布団に入った。涼子が照明を消す。

「べえやぁん」

しばらくして、涼子が小声で話しかけてきた。

「ん？」

「べえやんは、強かねぇ」

ここ最近のレートアップのことを言っているのだろうか。

それを言えば、涼子だって着実にレートを伸ばしている。

「りょーちゃんもね」

ふう、と涼子の息遣《いきづか》いが聞こえた。

「楽しみやね」

東京遠征のことなのか、それとも全国大会のことなのか。

どちらなのかはわかりかねたけれど、きっとどちらもだろうと思うことにする。

中学校時代のことが頭をよぎる。部活で、泊まりがけの練習試合をしたこともあった。今回の東京への遠征試合のように。部活そのものだけでなく、同じ目標に向かって頑張る仲間たちとの交流も楽しかった——あんなことになるまでは。

ギュッと目をつむり、それ以上は考えるのをやめた。

そしてわたしは、

「そだね」

と小声で答えた。

涼子はもう、スゥスゥと寝息を立てていた。

第四章　強敵

1

五月下旬、金曜日。

わたしと小百合、涼子の三人は、羽田空港に降り立っていた。コンコースは、平日だというのに人であふれ返っている。大半はスーツを着た社会人、そして観光目的であろう旅行客と思わしき人々だ。海外から来ているらしい人たちも多く、空間が活気に満ちている。

早乙女大の高田馬場《たかだのばば》キャンパスへは、空港から電車を乗り継いで一時間ほどだ。まずは羽田空港から浜松町へ向かう必要がある。悦子も含めたわたしたち競プロ部は二泊三日の予定で、浜松町近辺のホテルを予約してあった。この日、悦子は午前中に重要な会議が入ったとのことで、福岡から東京への移動の時間を急きょ遅らせることになった。昼過ぎには東京に到着する見込みで、あとから高田馬場キャンパスで直接落ち合うことになっている。

空港内の長いエスカレータで地下に向かい、電車に乗る。福岡市周辺のJRや地下鉄よりも本数が多く、少しばかり戸惑《とまど》った。それから浜松町に到着し、宿泊予定のホテルへ。到着が早かったのでまだ客室には入れなかったけれど、キャリーバッグはフロントに預けて、手荷物だけを持った。

「なぁんか、背の高いビルばっかやね」

ホテルの外に出て、涼子が上空に向かってつぶやく。

ビルだけでなく、幅の広い道路や高速道路の高架など、見慣れない光景が目新しく感じた。

山手線で30分ほど電車に揺られ、高田馬場に到着する。駅から早乙女大のキャンパスまでの道のりを調べると、思っていたよりも距離があることがわかり、タクシーで向かうことにした。広い通りをしばらく進み、寺院が見えてきたところで角を曲がる。さらに細い路地を進んでいくと、講堂らしき大きな建物が見えてきた。

「おーッ！　ここかぁ」

涼子が声を上げる。そして、ロータリーを曲がったところでタクシーを止めてもらった。予定していた時間より少し早い到着だ。

「早乙女大……歴史ある大学、って感じね」

小百合がタクシーから降りて言った。

平日なので、早乙女大でも普段どおり講義が行われている。悦子からは、早乙女大競プロ愛好会のメンバーたちはわたしたちと会うために時間を空《あ》けてくれていると聞いていた。そして、愛好会の会長が講堂まで迎えに来てくれることになっている。

「目印、なんて言ってたかいね？」

涼子が辺りをキョロキョロと見回しながら言う。

「たしか――」

小百合が言いかけたところで、講堂前のほうに視線を止めた。わたしもそちらのほうを見る。そこに立っている人物は大きな白い紙袋を持っていて、その正面にはピンク色の髪をツインテールにしたアニメキャラがでかでかとプリントされていた。

「あの人っぽいわね」

小百合が言う。

「せやね」

涼子がうなずいた。

そしてその人物の近くまで行くと、向こうもこちらに気づいた様子で笑いかけてきた。

「こんにちは」

肩ぐらいまでの長さの黒髪で、爽《さわ》やかな笑顔の女子だった。凛《りん》とした顔つきをしていて、いかにも聡明《そうめい》な雰囲気だ。

「こんにちは、競プロ愛好会の会長さんですか？」

小百合が訊ねる。

「そうです、そうです。みなさん、天神大の方たち……ですよね？」

「はい、うちの木村先生の紹介で来ました」

「よかった、コレ持ったままずっと待ちぼうけだったらどうしようって思ってたんですよ。私、アニメはそんなに観ないんですけどね……」

会長は困ったような笑顔を向けてきた。

小百合がそれに微笑み返す。

「いえ、おかげですぐに合流できました」

「よかったです。遠いところからみなさん、おつかれさまでした。私は競プロ愛好会会長の時田紗綾《ときたさや》です」

さっそく行きましょうか、と紗綾はキャンパス内へ向かって歩き出した。置いていかれないよう、わたしたちはその後ろについて歩く。紗綾は政治経済学部経済学科に所属していて、この春から四年生。わたしたちの一つ上の学年だ。彼女たち競プロ愛好会の顧問が悦子の後輩だということは耳にしていたが、どうやら紗綾の研究室の助教でもあるらしい。

　講堂から道路を挟んですぐのところにある門をくぐり、数分ほどで大学創設者の銅像が見えてきた。いかにも歴史のある大学という風情《ふぜい》だ。そのすぐ近くの建物に政治経済学部の研究室が集まっているようだった。建物内に入り、紗綾を先頭にして上の階へと向かった。

「ここです」

　紗綾はドアを指さし、中に入っていった。彼女のあとに続く。部屋の中はパーティションで区切られた座席が配置されていて、壁際にスチール棚が立ち並び、ぎっしりと専門書の類《たぐい》が収められている。座席には学生たちがまばらに座っていて、それぞれパソコンに向かって何かしらの作業をしていた。小声で挨拶《あいさつ》をすると、研究室の学生たちは無言で会釈をしたりするくらいのもので、すぐに自分の世界へと戻っていった。

「あれ、まだ来てないな……ごめんなさい、ちょっとあそこの席で待っててもらっていいですか」

　すぐ呼んできます、と紗綾は部屋から出ていく。言われるがままに部屋の奥に置かれてあるテーブルに着き、手荷物を降ろした。学生たちの座席からは少し離れた位置にあって、談話スペースのようになっている。学生用の研究室というのは自分の大学でさえ見たことがなかったけれど、いずれは自分もこういった環境の中で卒業研究をしたりするのだろうか、と想像する。

ペットボトルのお茶を飲みながら一息ついていると、紗綾が戻ってきた。後ろに二人連れてきている。

「ごめんなさい、お待たせしました」

「いえ、大丈夫です」

小百合が紗綾に言葉を返す。

「みなさん、福岡から来られたんですかぁ？」

紗綾の右隣の女子が、ひときわ大きな声で訊いてきた。

「そうです、飛行機で」

小百合が答えると「うわぁ！」とその女子は大きく口を開けた。

「すごぉい！　アタシ、九州って行ったことなくって！　一度行ってみたいなって思ってたんですよぉ」

「ぜひぜひ。いいところですよ」

小百合の言葉に彼女は「うんうん」とうなずく。

「こら、自己紹介が先でしょう」

たしなめるように紗綾が言った。

「あ、ごめんなさぁい」

「みなさんすみません、こちらは村松遥香《むらまつはるか》さんで、理工学部の三年生です。で、こちらが同じく理工学部の四年生で、ベトナムからの留学生のグェンさんです」

「グェンです、ヨロシクです」

明るめの茶色いロングヘアのグェンは、切れ長の目と丸眼鏡が印象的だった。

「どうも、遥香でぇす。よろしくお願いしまぁす」

彼女は、中学生や高校生と言われても違和感がないくらいに小柄で童顔だった。三年生なので、わたしたちと同学年だ。

「あ、じゃあ、こちらも」

小百合がわたしと涼子を交互に見やる。

「私は天神大競プロ部の代表で、豊福小百合です」

「井手上涼子でーす」

「長谷部愛奈です」

よろしくお願いします、と三人で揃って頭を下げた。

「改めて、よろしくお願いします。天神大のみなさんも全国大会に参加される予定だと思いますけど、うちの大学からはこの三人で出ることになってます」

「あっ、もう出場メンバーは決まってるんですね」

紗綾の言葉に、小百合は少しばかり驚いた様子を見せる。

これまでに開催された全国大会のルールでは、各大学で三人一組だけが参加登録できることになっていた。候補が三人一組を超える場合には参加受付の締切までに各大学で出場メンバーを絞り込んでおく必要があって、それに間に合わなければその大学の全組が出場できないというルールだ。紗綾たち早乙女大の場合はこれまでの全国大会にも毎回出場していて、学内での出場メンバーの候補者も相当な数のはずだ。

「そうなんです、ゴールデンウィークが明けてすぐだったかな？　ちょうど学内選抜があって」

紗綾が答えたタイミングで、遥香が席を立った。

「アタシ、お菓子とか飲み物とか持ってきますねぇ」

「あ、ごめん、お願いね」

紗綾が遥香に向かって手を上げて、続ける。

「それで、エントリーしたのが三十人くらいだったと思うんですけど、そこで上位だったのが私たち三人でした」

「すごいですね、学内だけで競争率十倍ってことですよね」

小百合は言って、紗綾とグェンの顔を交互に見る。

「毎年のことなので。私とグェンさんは前回大会も出場してますし、今年は遥香が頑張った感じですね。みなさんも、学内選抜は終わったんですか？」

紗綾の質問に小百合は苦笑いで答える。

「いえ、私たちの場合は……ここにいる三人だけです。私は前回も出場したんですけど、べえやんとりょーちゃんは今年の二月に競プロを始めたばかりなんですよ」

「えっ、そうなんですか？」

紗綾は驚いたような顔を見せる。

「ええ、二月の時点で部員が私だけになって……二人が入ってくれなかったら廃部になるところでした」

「それはそれは……危《あや》ういところでしたね」

「二人が入部したあと、応用数学科の先生に新しく顧問になってもらったんですけど、それが木村先生なんです」

「あっ、うちの先生の先輩っていう。なるほど」

持ってきましたよぉ、と遥香がコンビニのレジ袋を両手に持って戻ってきた。グェンが入れ替わりで席を立ち、今度は紙コップを持ってくる。

「ところでみなさん、ランクは？」

紗綾が訊ねてくる。彼女と一瞬目が合い、わたしから答えた。

「わたしとりょーちゃんがCで、お嬢がBですね」

おおっ、と遥香が声を上げる。

「Cだったら、アタシと一緒だぁ！」

「でも遥香、愛奈さんと涼子さんは競プロを始めて三か月かそこらなんだよ？」

「えっ？　マジですか？」

紗綾はうなずき、

「そういえば、みなさんは何学科に所属されてるんですか？」

と訊ねてきた。

「べぇやんが理学部応用数学科でりょーちゃんが工学部情報工学科、私が医学部医学科ですね」

小百合の返答に「いがくぶぅ！」と遥香が声を張り上げる。

「さやセンパイ、アタシら勝ち目なくないですかぁ……？」

「ガチのハイスペック女子たちだね……遥香にかかってるからね」

ええーっ、と遥香は声を漏らす。

「ひどくないですかぁ、さやセンパイ……とりあえず、予選で天神大と当たらないことを祈りますぅ……」

「みなさんは、どのランクなんですか？」

わたしが訊ねると、紗綾が遥香とグェンの顔を見てから言った。

「さっきのとおり遥香はCで、私とグェンさんはBですね。遥香はレートどのくらいになったんだっけ？」

「900ちょいですぅ」

「だそうです」

なるほど、とわたしはうなずいた。実力としては拮抗《きっこう》するところまで達しているのではないか。

だけど、前回大会でも紗綾とグェンは決勝プールステージまで進出して善戦したと小百合から聞いたことがある。レートだけで測《はか》ることのできない勝負強さみたいなものもあるのかもしれない。

不意に、部屋のドアが開いて、背の高い男性が入ってきた。談話スペースのほうへ向かってくる。

「あ、仁《じん》先生」

紗綾が会釈すると、その男性はノートパソコンを持っているほうとは反対の手を軽く上げた。

「おつかれ。こちらが例の？」

「そうです、天神大のみなさんです」

「どうも、仁です」

鋭い目つきで、体格の良さも相まって少しばかり威圧感を覚える。

「悦子さんとは大学院のときに一緒の研究室でした。彼女が先輩、僕が後輩ですね。今は別々の大学で勤務してますけど、研究のこととかで時々やり取りしてる感じです。それで、こないだ競プロの話が出たんで、ぜひ一緒にってことで。今日はよろしくお願いします」

よろしくお願いします、とわたし、小百合、涼子は頭を下げる。

仁先生の話しぶりは穏やかで、見た目ほどに怖くはなさそうだった。

「ぜひとも、うちの学生たちの鼻っ柱を折ってやってください」

「えぇー、仁センセ、どういうことですかそれぇ」

遥香が不満げな声を上げる。

「言葉どおりだよ、勉強させてもらうといいね。そういえば、悦子さんは遅れるんだったかな？　まあ、この研究室にも何度か来たことあるからたぶん大丈夫か。で、このあとはどうするの？」

仁先生は紗綾に訊ねる。

「そうですね、そろそろ始めましょうか」

紗綾はわたしたち天神大の三人に向けて言う。もちろん、今回の東京遠征のメインイベント、親善試合のことだ。

「はい、ぜひ」

小百合が答えて、少しだけ表情を変える。彼女の気合いと緊張が混じったような、ピリッとした空気を受けて、わたしはおもむろに背筋が伸びる。

「バーチャルコンテストだよね？　僕のほうで問題セット選ぼうか？」

仁先生がノーパソコンを開きながら言う。

「はい、ありがとうございます。みなさんもそれで大丈夫ですか？」

紗綾の言葉に、わたしは小百合、涼子と顔を見合わせた。

「ご心配なく、うちの三人に有利な問題を、みたいなことは一切やるつもりないので」

仁先生が補足すると、遥香が、

「えぇー、ちょっとくらいはぁ……」

と、おどけた調子で言った。

「だれも、ウレシイことないですね、ハルカさん」

グェンが表情を変えずに眼鏡を持ち上げて、一言告げる。

ぶぅ、と遥香はふてくされる真似をした。

「オーケイ、そしたらちょっと待ってて」

仁先生はノートパソコンを操作し始めた。

その間にわたしたち天神大の三人は、手荷物から自分のノートパソコンをそれぞれ取り出し、準備を始めた。

2

数分ほどで「終わったよ」と仁先生から声をかけられた。三人で使うためのポケットWi-Fiを小百合が持ってきていたが、紗綾の申し出で研究室の無線LANを使わせてもらうことになった。そして紗綾たちもそれぞれ準備を終えていた。

「よし、それじゃコンテスト名は《天神vs早乙女》だからね」

仁先生の指示どおりのページにアクセスし、準備してもらったバーチャルコンテストへの参加登録を行う。一瞬、小百合と入部を賭けた対決をしたときのことを思い出す。あのときもバーチャルコンテスト形式で勝負したけれど、一対一だった。今回は、三対三だ。初めての団体戦になる。

「勝敗の判定は、全国大会の予選ステージと同じだからね」

仁先生がルールを確認する。

「三人の総得点が高いほうのチームが勝ち。同点の場合は正答時間の合計が短いほうが勝ちで、総得点も総正答時間も同じだったときは三人のペナルティ数の合計が少ないほうが勝ちだからね。それ以降は、チーム内のメンバーで最長正答時間が短いほうの勝ちで、それでも決まらない場合は別問題セットで再試合。オーケイ？」

仁先生の言葉に、それぞれ無言のまま首を縦に振った。

「よし、5分後に開始しよう。僕はいったん助教室に戻るよ。終了時間が近くなったらまた来るから、みんな頑張って」

そして仁先生は席を立ち、研究室をあとにした。研究室の壁に掛けられた時計を見ると、あと5分ほどで正午になるところだった。

数分間の沈黙。紗綾の表情に真剣さが増し、先ほどまでおちゃらけていた遥香も顔つきが一気に変わってきていた。グェンは相変わらず無表情なものの、その変化のなさがむしろ不気味《ぶきみ》でさえあった。

ピリピリとした空気。普段のコンテストでは決して味わえないような緊張感を覚える。小百合と部室で対戦したときでさえ、ここまでプレッシャーを感じなかった。小百合と涼子のほうを見ると、彼女たちもこらえきれない胸の高鳴りのようなものが表情に出ていた。

5秒まえ。
4、3、2、1、――0。
六人が一斉に動き出した。

問題Aから順に解いていく。問題Aは条件に合致するか否かのシンプルな処理だけ、

Bは典型的な文字列の入れ替え問題、そしてCは配列の中で条件に合致する値の最大値を求める問題で、計算量の工夫が必要となるようなものだった。いずれもミスなくノーペナルティで《AC》。ここまで開始から20分とかかっていないが、おそらくこの場にいるプレイヤーたちも同程度かそれよりも早いくらいだろう。

気を緩めないように問題Dへ取り掛かる。

『x軸とy軸からなる二次元平面上で、点Pは原点(0, 0)から出発してy軸上を毎秒1の速さで点(0, a)まで進みます。また、点Qは点Pと同時に点(a, 0)を出発して毎秒1の速さで原点(0, 0)まで進みます。このとき、点Pと点Qを結ぶ線の長さが最小になるのは、点Pと点Qが出発してから何秒後でしょうか。N個のaが与えられるので、各aにおけるPQ間の最小の長さとそのときの秒数を一行に出力し、合計N行出力してください。ただし、提出されたコードの出力と、ジャッジでのテストケースの出力との相対誤差または絶対誤差が10^{-6}以下のとき、正答とみなされます』

数学的な問題で、まずは手持ちの電子メモパッドに図を書いてイメージする。Nとaは整数で、$1 \leq N \leq 100$と$0 < a < 100$というのが制約条件だ。

二点間を結ぶ線の長さを求める必要があるので、出発してt秒後のPQ間の線の長さをｄとすると……$d^2=(a-t)^2+t^2=2t^2-2at+a^2=2(t-a/2)^2+a^2/2$ か。

——ん。

これは、ｔについての二次関数として捉えればいい……のか。

$t=a/2$ のときｄは最小になって、ｄは正だから $d=\sqrt{a^2/2}$ だ。

あとは、ｄとｔをＮ行分出力させればいいはず。

ここまで考えて、コーディングに踏み込む。入力値Ｎの受け取りと、ａを受け取ってＰＱ間の長さと秒数の計算と出力をＮ回繰り返す処理。これでピースは揃っているはずだ。

```
N = int(input())
for _ in range(N):
    a = int(input())    #標準入力の受け取り
    d = (a * a / 2) ** 0.5    #ＰＱ間の最小の長さ
    t = a / 2    #ＰＱ間の長さが最小になるときの秒数
    print(d, t)    #ｄとｔの出力
```

確認のために入力例１を実行してみる。

【入力例1】

```
3
8
9
10
```

【出力例1】

```
5.656854249492381 4.0
6.363961030678928 4.5
7.0710678118654755 5.0
```

【テスト出力】

```
5.656854249492381 4.0
6.363961030678928 4.5
7.0710678118654755 5.0
```

——これは、いける。

他の入力例を試すまでもなく間違いないように思われ、ソースコードを提出した。すぐにジャッジが始まる。

……1/31 OK……7/31 OK……11/31 OK……

テストケースは三十一個。どのような入力値が与えられるのかはプレイヤーにはわからないけれど、全てのテストケースで正しい出力が得られれば問題Dはクリアだ。胸が高鳴ってくる。

……18/31 OK……23/31 OK……27/31 OK……31/31 OK.

《AC》

「よし……ッ！」

ここまでで40分経過。コンテスト時間は100分なので、まだ半分以上の時間を残している。この勢いのまま問題Eに突入した――が、さすがにEともなると一筋縄《ひとすじなわ》ではいかなさそうだった。S本の銅線をT回切ったあと、最も長い銅線のパターンの中で、最小のものを求めるという問題。

――道筋が見えない。

題意はさほど複雑ではないけれど、解くための道筋がイメージできない。

悩んだままでは時間を無駄にしてしまうので、いろいろと思いついたことをソースコードに落とし込んで実行するなど、試行錯誤する。しかし、状況を打開できないままでいた。

ただただ、時間が過ぎていく。問題を解くことがこんなに苦しく感じるのは、競プロに取り組むようになってから初めてのことかもしれない。

残り10分弱。

何か——何かヒントはないか。

悔しさがこみ上げてくる。何もできない時間がひどく長く感じる。ちゃんとした方針を立てないまま書いているので、ソースコードは傍目《はため》にも乱雑だ。これではパズルの完成形には程遠《ほどとお》い。

「ぐ……ッ！」

タイムアップ。

親善試合は終了した。

「おつかれさまでした」

そう言って、紗綾が微笑んだ。

ふっ、とテーブルの空気が緩む。

「おつかれさまです……なかなかハードでした」

小百合が紙コップのお茶を飲む。そして、くっきりとした二重まぶたをパチパチとさせた。画面を凝視し続けていたから、目が乾いてしまったのかもしれない。

「さっそくですけど、結果を見てみましょうか」

紗綾が言うと、バーチャルコンテストのページにアクセスした。わたしもすぐに順位表を開く。全員の得点と、最後に正解したところまでの解答時間が表示される。

一位	紗綾	１５００点	84:45
二位	小百合	１５００点	91:23
三位	グエン	１５００点	93:06
四位	遥香	１０００点	39:27
五位	愛奈	１０００点	40:31
六位	涼子	１０００点	52:19

早乙女大チームは合計４０００点。対する天神大チームは、３５００点。結果は明らかだった。

「早乙女大のみなさんの勝ちですね」

小百合が押し殺したような声で言う。

「ありがとうございました。いい試合でした」

紗綾が頭を下げる。グェンが同調するように無表情のまま眼鏡を持ち上げた。

「いっや、難しかったですねぇ！」

遥香が笑う。試合直前からのひりついた感じとは打って変わって、元の雰囲気に戻っていた。

彼女の言葉に紗綾がうなずく。

「そうね、普段よりわりと厳しめだったかも」

「さやセンパイ、これは仁センセの明確な意思を感じますよ」

「何を言ってるの」

てへっ、と遥香は舌を出す。

「いやぁ……悔しかばい。ペナルティ、二回も出してしもた」

涼子は苦笑いする。

わたしはすぐに、解けなかった問題Eの解説ページを開いた。解法はシンプルで、まず題意をわかりやすい形に置き換えて、あとは二分探索法を用いて解く、というものだった。

——二分探索法、か。

なぜ思いつかなかったのか。

そのアルゴリズム自体は決して複雑ではなく、悦子の特別講義でも最初に教わったものだ。二分探索法が適用できれば、先頭から一つずつ順に調べていくよりも格段に速く、探索範囲が広くなればなるほどその差は歴然とする。

解説の意味がわかってくるほどに、悔しさが増していく。紗綾、グェン、小百合がそれぞれ1500点ということは、三人ともこの問題Eを解けたということだ。強豪校との、そして小百合との実力の差。一問解けるか否かで明暗分かれる勝負なのだということを改めて痛感する。

「やっほー」

「ごめんごめん、もう終わった？」

赤紫色のツインテール姿が現れ、その半歩後ろから仁先生がやってきた。

「えっちゃん！」

涼子が声を上げる。

おやぁ、と悦子はわたし、小百合、涼子の顔を順に眺めた。

「負けたな？　君たち」

「えっ、なんでわかったん？」

涼子が訊くと悦子は、

「顔に書いてあるさぁ」

と、わたしたち三人の肩を軽く叩いて、労《ねぎら》って回った。

「そうなの？」

仁先生が紗綾に訊ねる。

「はい、僅差ですが私たちの勝ちでした」

「なんだ、面白くない」

「仁センセぇ！　せっかく勝ったのに、そんなこと可愛い教え子たちに向かって言いますぅ？」

遥香が抗議の声を上げた。しかし、仁先生は何食わぬ顔で答える。

「可愛い教え子だからこそ、世間の厳しさってものを体感してほしかったんだけどな」

でも先生、と紗綾が横から言う。

「本当にわずかの差でした。特に愛奈さんと涼子さんは、競プロを始めて三か月だとは思えないです」

「えっ、三か月？」

驚いた様子で仁先生がこちらに顔を向けてくる。わたしは無言でうなずいた。

仁先生は紗綾のノートパソコンをのぞき込み、コンテスト結果を見る。

「どれどれ……おお、二人ともDまで解けてるんだ。これはもう実質、うちの負けでしょ」

「本当に、この調子だと本番ではどちらが勝つかわからないと思います」

そう言って、紗綾がグェンのほうを見る。

「ね、グェンさん」

「みなさん、ツヨイ、でした」

クイッ、とグェンは眼鏡を持ち上げる。

――競技経験に差があるとはいえ、負けは負けだ。

競プロは、得点と正答時間で明確に勝敗が分かれる競技なのだ。これが予選ステージ本番だったとしたら、決勝には進めずにサヨウナラだったに違いない。競技歴が浅いからといってハンデや得点調整などを考慮してくれるわけではないのだ。

予選ステージが開かれる九月まで、あと三か月半ほど。これまで以上に精進が必要だと再認識する。

「ねーねー、みんなお腹空《なかす》かない？　わたしもう、お腹ペコリンヌだよぅ」

悦子が言うと、小百合が吹き出した。

「なんですか、ペコリンヌって」

「えっ、豊福ちゃんのお腹にもいない？　ていうか、ビール飲みたいさぁ」

「この近くに定食屋ならありますけど、行ってみます？」

ビールもあると思いますよ、と紗綾が提案した。

悦子は「やったぁ！」と声を上げる。

「たぶんこの時間なら座敷が空いてると思います。私、ちょっとお店に電話してみますね」

紗綾がスマートフォンを片手に研究室を出ていく。

壁に掛けられた時計は、もうすぐ午後二時になるところだった。

3

午後五時、浜松町のホテルにて。

フロントに預けてあったキャリーバッグを受け取り、改めてチェックインの手続きをした。キャンパス近くにある定食屋で、早乙女大メンバーたちと昼食をともにしているとき、もしよければ翌日に研究室でもう一回バーチャルコンテストをしないか、と紗綾から提案を受けた。もちろん、わたしたちとしては断る理由は何もなく、むしろ願ってもない機会だった。

ホテルのエレベータに四人で乗り込み、悦子が先に降りた。このあと彼女は別件で誰かと会う約束があるらしく、夜は別行動することになっていた。わたし、小百合、涼子の三人で、紗綾たちから勧められていた秋葉原の炉端焼《ろばたや》き屋へ行くことにする。まだ早い時間だったけれど、荷物を置いてすぐに出かけた。

秋葉原駅に到着し、電気街口を抜け、三人で大通りへと向かう。金曜夕方の秋葉原は、メイド服のコスプレをした客引きや、観光客と思わしき人々であふれ返っていた。

「べえやん、りょーちゃん、ちょっといいかしら」

小百合が、目的地とは別の方向へ行きたがっている様子だった。なんだろう、と思いつつ、彼女のあとに続く。駅から少し進むと、大きな商業ビルがそびえ建っていた。階段を上って少し歩いたところにエントランスへ続く出入り口があり、その上部に《UDX》と大きく書かれてあるのが見えた。さらに脇へ入って進むと、広めのイベントスペースがあった。

小百合が立ち止まる。

「ここがさ、去年の決勝の会場だったみたいなんだよね」

アキバ・スクエア。

このときは、競プロとは全く関係のない、何かのアニメの特設ステージが組まれていた。出演声優のトークイベントが開かれているようで、音声が時折耳に入ってくる。

だったみたい、と伝聞の表現になるのは、去年の決勝には出場できなかったからだろう。小百合の視線の先を目で追うと、声優と司会者と思わしき人々が座っていた。きっと小百合はアニメのことではなく、そこで開かれていた前回の決勝の様子を思い描いているに違いない。あるいは、今回の決勝のステージで競技している自分たちの姿か。いずれにせよ、今年こそは、と小百合の全国大会にかける想いはひとしおのはずだ。

「絶対、来ようね」

静かに、強く、小百合は声に出す。

わたしは黙ったまま小百合の真剣な眼差《まなざ》しを見つめた。

競プロ部として掲げた目標、全国大会の決勝進出。やるからには、達成したい。代表として競プロ部を盛り上げていこうとしている小百合、ムードメーカー的にわたしと小百合を引っ張ってくれている涼子。そんな彼女たちと接していると、わたしもこの部のために何かできるだろうか、と頭をよぎることもある。中学校時代、熱心に部活へ打ち込んでいたときのように。部のため、仲間のため、自分の力が何か役立てられるだろうか、何か貢献できるだろうか。そんな思いが胸の内を巡る。でもやっぱり、一歩踏み込むことができない。

そう、競プロ部に入ったのも、小百合とのハンデ戦で負けてしまったから。わたしが彼女にハンデなしで勝つことができれば、そこでおしまい――だけれど。もしそうなったとき、わたしは全国大会を、競プロ部を、何より小百合と涼子を放り投げて、何事もなかったように元の生活に戻ることができるのだろうか。いまさら自分に、そんな真似ができるだろうか。自分の胸に何度聞いてみても、答えは出ない。

翌日も紗綾が、早乙女大の講堂前で先に待ってくれていた。ただ、アニメキャラの紙袋は持っていない。紗綾いわく、昨日は目印として何か探していたところに遥香から面白がって持たせられてしまった、とのこと。

研究室に向かうと、土曜日だというのに数名ほどの学生が自席でキーボードを叩いていた。紗綾と、四人で昨日と同じ談話スペースにて雑談を交わす。話せば話すほどに、紗綾の聡明さが伝わってきた。学部一年生の夏頃からプログラミングになんとなく興味を持ち始めて、それからすぐ競プロ愛好会に入ったようだ。そして博士前期課程、いわゆる修士課程に進む予定で、大学院に入ったあとも競プロを続けたいらしい。

「こんにちはぁ」

遥香とグェンが研究室に入ってくる。

「今日帰っちゃうんだよねぇ、さみしいなぁ」

すっかり打ち解けた様子で、遥香はテーブルに着いた。グェンがその隣に座る。

「また遊ぼうね！　早乙女大以外の大学の競プロ仲間なんて、しかも女子なんて、めっちゃ貴重だからさぁ」

「そうね」

遥香の言葉に小百合がうなずき、グェンに声をかけた。

「グェンさんも、また会いましょう」

「ハイ、また、ですネ」

わずかに首を縦に振る。相変わらず表情は動かないままに見えたが、このときばかりは一ミリメートルほど変化があったかもしれない。

「さて。やりますか」

紗綾がにこやかに言う。先ほどまでの和《なご》やかな雰囲気は、彼女の目から消えているように見えた。悦子と仁先生が別室にいるため、遥香が呼びに向かう。しばらくして、若き数学者たちが研究室へと入ってきた。

「みんな、おつかれ」

のっそりとした口調で、仁先生が談話スペースに来る。

その後ろから悦子も続いて、「やあ、諸君」と声をかけてきた。

「絶好調かね。昨日は仁くんが問題を選んだんでしょ？　今日はわたしがやろうか」

悦子は、ムフフと笑う。そしてわたしたち六人がバーチャルコンテストの準備をしている間に、悦子は六問を選んだ。

「ルールは昨日と一緒ね。コンテスト名は《早乙女vs天神》だから」

指定されたページへアクセスすると、開始まであと7分と表示されていた。

「勝ったチームにはなんと！　わたくし、悦子センセから、アツぅいベーゼをもれなくプレゼントっ！」

「えっ、いらね」

涼子が即答する。

「あ？　なんか言った？」

「そんな暑苦しいチューされても……」

「そっかそっかいらないのかー、井手上ちゃんは工学部必修の応用微分積分学の単位もいらないのかー、そっかー」

「あっすみませんそれはいりますごめんなさい」

ふふふっ、と紗綾は吹き出す。そして遥香が「よっし！」と意気込んだ。

「悦子センセの唇はアタシが奪う！」

「遥香、誤解されるよ？」

紗綾がツッコミを入れると「うひょお！」と悦子は笑った。

「ほーら諸君、もう始まるよ！　全力出し切れ！」

4

午後の羽田空港は、数日まえに来たときと同じように、キャリーバッグを引いて歩く人々であふれていた。保安検査場を通過して、小百合、涼子、悦子とともに発着ロビーで飛行機への搭乗時刻になるのを待つ。

わたしたち天神大チームは、金曜日に続いて親善試合第二戦も負けてしまった。個人順位では紗綾、小百合、グェン、わたし、遥香、涼子の順。紗綾たち早乙女大の三人は第一戦と同様にノーペナルティで、小百合と涼子がペナルティを一つずつ、わたしはゼロだった。

客室乗務員のアナウンスで、搭乗準備が完了したことを告げられる。飛行機内に入り、後方の座席に小百合と悦子、そしてそのすぐ後ろにわたしと涼子という並びで座る。離陸すると、グイッと機体が持ち上がった。胃の辺りを摑まれるような感覚も少しの間だけで、しばらくすると安定飛行に移った。

隣に座っている涼子は、座席前のポケットに入っていたパンフレットをパラパラとめくっている。わたしは、なんとなく窓の外に広がるブルーを眺めた。ぼんやりと、昔のことに思いを馳《は》せる。

わたしは、他人との勝負事はあまり好きなほうではなく、誰かと比較されることもどちらかというと苦手だった。勉強でもスポーツでも、自分が負ければ当然ながら悔しい思いをすることになるし、かといって自分が勝ってもどことなく後味が悪い。負けたときの悔しさや悲しさがわかる分、勝ったとしても相手の気持ちをどうしても推しはかってしまい、心から喜ぶことが難しいのだ。

高校受験ではそれなりの進学校を受験したから競争率は高かったけれど、最初から最後まで自分との闘いだと割り切ることにしていたし、大学受験でもそれは同じだった。中学校時代に所属していた剣道部でも試合で何度となく勝ち負けを経験してきたが、それもまた自分との闘い。自分自身へと意識を集中させてきた。

競プロは、まさしく勝負の世界だ。しかしこれもまた、自分自身との闘いだと捉えるようにしている。一方で、自分のことを少なからず評価してくれて頼ってくれた小百合を助けるために、一緒に頑張っている涼子のために、自分が何かできるのならそれはそれで素晴らしいことなのではないか、という意識もわたしの中のどこか奥底に芽生え始めているのかもしれなかった。

今回の早乙女大チームとの親善試合を振り返ると、二戦二敗。はっきりと勝ち負けがついた形となった。ある程度予想がついていたとはいえ、正直な気持ちとして、悔しさでいっぱいだ。

でも、その矛先《ほこさき》を早乙女大の三人に向けるのではなく、自分自身へ向けるべきだとも思う。第一戦で問題Eが解けなかったのは自分だし、レートが伸びないままくすぶっているのは誰のせいでもなく、他ならない自分自身のせいなのだから。

「ねえねえ、べえやん」

涼子がパンフレットを座席前のポケットに戻して言う。

「楽しかったねぇ、遠征」

こちらに向かって笑いかけてくる。

返す言葉を一瞬考え、そしてわたしは答えた。

「うん、楽しかった」

嘘偽《うそいつわ》らざる、正直な気持ちだ。

悔しかったけれど、でもやっぱり――楽しかった。

「なんとしても決勝いきたいね」

涼子は窓の外を見ながら口にする。

窓から差し込む光が、彼女のグラデーションカラーの髪に反射していた。

綺麗《きれい》だな、と素直に感じる。

「どしたん？　あたしに見惚《みほ》れちゃった感じぃ？」

「よせやい」

「可愛いなぁもー、まなたんは」

「まなたんはやめて」

「まなぴょい」

「やめい」

にひひっ、と涼子は大きく笑う。

――あのとき。

中学校時代、部活に打ち込んでいた仲間たちも、今の涼子のように笑っていた。

こんな時間がずっと続けばいいな、なんて。

そんな風に願ったときもあった。

中学校時代はあんなことになってしまったけれど、大学では、競プロ部では――。

窓の外に視線を移す。

空にはもこもことした雲の波がどこまでも広がっていた。

第五章　Blue Water, Blue Sky

1

「夏だ！　海だーッ！」

　涼子の声が船のデッキにこだまする。

　七月下旬。

　小百合、涼子、そして悦子の三人とともに、競プロ合宿のため博多から壱岐《いき》へ船で向かっていた。豊福家メイドのライカとフウカも一緒で、彼女たちの運転する特別仕様の黒塗りのロングワゴンごと船に乗り込んだ。晴天に恵まれ、到着時刻を案内する船内アナウンスが流れたところで、涼子、悦子、ライカ、フウカはデッキでポーカーを始めていた。

「ねえ、お嬢」

海の向こうを眺めていた小百合に声をかける。

彼女はわたしの呼びかけに気づくと、振り向いて、小首を傾げた。

「どうしたの？」

「お世話になります」

わたしは、小百合に軽く頭を下げた。

「なあに、改まって」

「いや、親しき仲にも、って言うでしょ」

「変なところで真面目ね、べえやんは」

小百合は白い歯をのぞかせて笑う。

真面目さだったら、小百合にはきっとかなわないだろう。

◇

東京での早乙女大チームとの親善試合から戻ってきてすぐに、わたしはスマートフォンのゲームを全てアンインストールした。どうせなら徹底的に、ということで、携帯用ゲーム機や据《す》え置き用のゲーム機も全て売却した。数が多かったので涼子にも整理を手伝ってもらったのだが、彼女は「ほえぇ」と何やら感心したようなリアクションをしていた。

禁欲しなければいけない、という義務感みたいなものではない。たしかに早乙女大の三人にボロ負けしたのがこたえたというのもあるけれど、競プロを始めた頃よりさらに楽しくなってきたし、もっと集中したかったから。わたしはゲームを手放しただけでなく、大好きだった動画視聴やアニメ鑑賞などもほとんどせず、より一層競プロに打ち込むようになった。

遠征まえは週に二、三回ほどしか部室に顔を出していなかったけれど、東京から戻ったあとは毎日のように小百合、涼子と部室で問題を解いていった。精進するにも一人きりでは限界があるので、わからないところはすぐに相談し、解決するようにした。一人では気づけなかった視点を小百合と涼子から学ぶこともあり、大学の講義以外の時間は競プロに集中した。

それから、数週間後。

「いやあ、それにしてもえげつなかったなぁ、上位校ってやつは」

おしぼりで手を拭《ふ》きながら涼子がぼやいた。

その日、天神大のキャンパス近くの居酒屋で小百合、涼子とともに作戦会議をしていた。カウンターの向こう側には、割烹着《かっぽうぎ》姿の渋い風貌の男性が一人。わたしたちを出迎えて、店内奥のテーブルに案内してくれた。平日夕方の早い時間だったからか、他に客はまだいなかった。テーブルにわたしと涼子が並んで座り、わたしの正面に小百合が座った。いつもの配置だ。

「いろいろと見えてきたわね」

小百合が言うと、涼子も「うんうん」とうなずいた。

飲み物が運ばれてきた。わたしと小百合がレモンサワー、涼子はビール。

乾杯すると、涼子は勢いよくジョッキをあおった。

「ぷっはあああッ!」

そして、ダンッ、とビールのジョッキをテーブルに置いた。

「りょーちゃん、おっさんくさくない?」

わたしはどうしてもツッコまずにはいられなかった。

「許せ友よ、この一杯目の喉越しがたまらんっちゃね……」

「それがおっさんくさいっての」

わたしもレモンサワーを口にした。そしてふと、早乙女大チームとの親善試合の結果を思い出した。圧倒的な実力の上位校には、生半可な知識と演習量では太刀打ちできないことがよくわかった。この悔しさが風化することはしばらくないだろう。数週間経って、良い経験をさせてもらったなと改めて感じた。

「あ、そうだ」

パンッ、と小百合が手を合わせた。

「夏休みにさ、みんなで合宿しようよ」

「おおっ、合宿！」

涼子が反応した。

「いくつか別荘があるからさ、そこで三週間くらい、みっちり競プロ。そのときはらいちゃんとふうちゃんも一緒に。どうかしら？」

「えっ、ていうか別荘っていくつもあるものなの？」

「えっ、ないの？」

即答で疑問を返されてしまった。そもそも一つでも別荘を持っていること自体、普通ではないはず。小百合と一緒にいるとちょっとずつ感覚がズレるような気がする。

「べえやん……」

ポン、と涼子から肩に手を置かれた。

「お嬢なんよ、このお方は。小百合お嬢様なんよ」

「そだね……わたしの認識が甘かったわ」

「なあに、それ」

小百合は苦笑いした。

「ちなみに、別荘ってどこにあると？」

涼子が訊いた。

「大分と山口、あとは壱岐ね」

「壱岐？　って、福岡からやと、どうやって行けばいいんかいな？」

「博多港から船で一時間から二時間くらいね。船には車も載せられるから、うちの車で博多港まで行って、そのまま島でも使う感じになると思うわ」

「ええやん！　そんじゃ、壱岐に決定！」

にひひっ、と涼子は笑った。

予選ステージは九月。グンと実力アップできるのは、この夏休みがラストチャンスかもしれなかった。

わたしも「イイね」と応えた。

「オッケー、それじゃ、らいちゃんとふうちゃんにも伝えておくわ」

そして小百合は、わたしと涼子の顔を交互に見て訊ねた。

「夏休みは八月からだけど、いつから行こうかしら？」

「わたしはいつでも大丈夫。りょーちゃんは？　バイトのシフトってどんな感じ？」

わたしが訊くと、涼子はグイッとビールをあおってから答えた。

「あー、だいじょぶ。あたし、バイト辞めるけん」

「「えっ？」」

わたしと小百合の声が重なった。

「決めたんよ。ガチで決勝に進むんやったら、バイトしとる場合やない。すぐにでも辞めて競プロに集中することにしたんよ」

わたしは小百合と顔を見合わせた。

「ほら、こないだべえやんもゲーム、全部売り払ってたやん？　あたしもさ、カクゴっていうか、もっとストイックに、ね？」

前菜と焼き魚が運ばれてきて「うわーい！」と涼子はほくほく顔だ。

「そうだ、べえやんとりょーちゃんは、講義の区切りがつくのはいつ頃？」

小百合が訊いてきた。

「わたしは、七月中旬には試験とか終わる感じかな。お嬢は？」

「私も、そのくらいには試験もレポートも終わると思うわ」

「あたしも！」

涼子が声を上げげた。

「そっか、お嬢もりょーちゃんもそんな感じなんだったら、壱岐に行くの、もう少し早くてもいいのかもね」

わたしが言うと小百合は「そうね」と答えた。

「そしたら、七月の下旬からお盆まえまでの三週間、みんなの予定が済んだらすぐにでも行きましょう」

わたしと涼子は同時にうなずいた。

「そうそう、えっちゃんも呼ぶやろ？」

涼子が小百合に訊ねた。

「そうね、えっちゃんがいなきゃ始まらないわね。いろいろと教わらないと……」

「そだね」

わたしも小百合の言葉には同感だった。

「三週間、競プロ漬けなんやろなぁ……」

焼き魚の身をほぐしながら涼子が言った。

「へへっ、なんか部活っぽいやん」

「いや、りょーちゃん、部活なのよ？」

そう言って、ふふっ、と小百合は笑った。

◇

船は郷ノ浦港《ごうのうらこう》に入る。ゆっくりと停船し、まばらにいた他の乗客たちが去るのを待って、ライカとフウカは車のほうへ向かい、わたしは小百合、涼子、悦子と一緒に船から降りた。

「ここが壱岐かぁ！」

悦子が声を上げる。

「初めて来たけどイイところだねぇ！」

わたしもこの長崎の離島には初上陸だった。港の周囲を見渡すと、内地とは時間の流れが異なるような、ゆったりとした雰囲気が漂《ただよ》っていた。

ライカとフウカが船から車を回してくる。わたしたち四人を乗せると、ライカは車を走らせた。何度も車で別荘に向かったことがあるのだろう、運転に迷いがない。山《やま》間《あい》の道を進み、抜け出たところをしばらく進むと、海沿いの道に出る。そこからさらに車を走らせたところで坂を上ると、鉄門が見えてきた。

門の前でライカが停車させる。そして助手席からフウカが降りて、門を開けた。フウカは助手席に戻り、車は敷地内へと入っていく。

「まぁじで！」

駐車場に停《と》めた車から降りると、涼子がはしゃいだ声を上げた。

遠目に海が見え、わたしも眼前の光景に目を奪われてしまう。

荷物を抱え、建屋へと入る。吹き抜けがあって、リゾートホテルを彷彿《ほうふつ》とさせる豪《ごう》奢《しゃ》で開放的な造《つく》りになっていた。

「にょっほおォ！」

今度は悦子の声が響いた。

リビングへ入ると、オーシャンビューがパノラマに広がっているのが目に飛び込んできた。天気の良さも相まって、海の碧《あお》さが一層眩《まぶ》しい。

「えっ、ヤバくない……？」

思わず声が漏れてしまう。

「すごすぎやないと……？　こんなところずっと泊まれるとか、だいじょぶそ？」

涼子がおののく。

「大丈夫って、何が？」

小百合がソファに荷物を置きながら涼子に言った。

「いや、フツーに一泊ン万円とかするホテルみたいやん、ココ」

「たしか、港の近くにそういうホテルがあったかしらね」

「こんな別荘、大分と山口にもあるの……？」

わたしは室内をキョロキョロと見回して、小百合に訊ねてみた。

「宮崎にもあったんだけどね。そっちは古くなったから手放しちゃったわ」

「手放しちゃった、って……ゲーム機じゃないんだから……」

「べえやん」

ポン、と涼子はわたしの肩に手を置き、首を横に振った。

お嬢様の感覚はよくわからないものである。

「よーし、腹が減ったさぁ！」

悦子が叫ぶ。

「ですね。らいちゃんとふうちゃんが食材の買い出しに行ってくれているので、戻ってきたらお昼にしましょう」

小百合の言葉に「はーい」と悦子は返事する。

「みんな、それまでの間、ちょっと向こうの部屋に集まってもらえるかしら」

そう言って、小百合はリビングから出ていった。

2

小百合のあとを追って別室に入ると、広めの正方形のテーブルに椅子が四脚置かれてあった。テーブルの各辺に一脚ずつの配置だ。壁は二面が大きなガラス窓になっていて、ここからも海が眺《なが》められる。もう一面は出入り口で、残る一面には壁いっぱいのホワイトボードが掛けられてあった。さらに、天井にはプロジェクターが設置されてある。

「三週間、この部屋で合宿しましょう」

小百合が出入り口近くの席に座りながら言う。

「ええね、なんか部室のパワーアップ版て感じやね」

涼子は部屋の奥側の窓際に、わたしはもう一面の窓際に座る。

「いいなぁ、このホワイトボード。うちの研究室にもほしいなぁ」

ホワイトボードの前に座った悦子がペチペチとボードを叩く。

「べえやん、りょーちゃん」

真剣な表情になった小百合が告げた。

「この間の東京遠征でよくわかったと思うけど、全国大会で決勝に進もうと思ったら、私たちまだまだ精進しないといけない。そうでしょう?」

わたしと涼子はほぼ同時に、黙ったままうなずく。

「早乙女大は決勝常連校だし、そもそも強いっていうのもあるんだけど、そうだとしても私たち自身もっと強くなる必要があるわ。でも、闇雲にあがいたって強くなれないと思うの。そこで、えっちゃん」

はいさぁ、と悦子が応える。

「えっちゃんに頼んで、私たちの戦況を分析してもらったわ。えっちゃん、お願いします」

悦子は「おっけー」と返事をしてノートパソコンを開いた。

「アルゴコードの公式サイトから、君たちのこれまでの戦績とかいろいろと調べさせてもらったさぁ。で、見えてきたことを伝えるね」

ゴクリ、とわたしは息を呑《の》む。

「まず、長谷部ちゃんがレート１１７２でランクＣ、豊福ちゃんがレート１４８３でランクＢ、井手上ちゃんがレート１０９７でランクＣね。んで、解いてきた問題数。これは豊福ちゃんが１４１２問でぶっちぎり。まぁ、二人よりも競技歴が長いからってのもあると思うけどね。長谷部ちゃんが９８７問、井手上ちゃんが９３４問。競プロを始めて五か月くらいってことを考えると、だいたい一か月で２００問、まぁ一日７問くらいって感じか。問題によって難易度が違うから単純には平均取れないけど、よく頑張ってるね」

へへーっ、と涼子は笑う。

「一方で、解答時間。ちょっとスクリプトを組んで解析してみたんだけど、豊福ちゃん、アレで映せるかな？」

悦子は天井のプロジェクターを指さす。

「はい、これでいけます」

小百合はＨＤＭＩケーブルを悦子に手渡す。ありがとー、と悦子は受け取ってノートパソコンにつないだ。ホワイトボードに向かって映し出されたのは、一つの表だった。わたし、小百合、涼子それぞれに、初級者向けコンテストの問題AからFまで、総解答時間と平均解答時間が一覧表に記載されている。わたしたち以外のプレイヤーの分も含めた平均解答時間も算出されていて、三人それぞれの差分もあった。

「おお……すごか」

涼子が感心したように声を漏らす。

「公式のAPIって、こんな使い方もあったんやね」

「そうよー、使えるものは使わなきゃ」

そう言って、悦子は笑う。

「ここからまず見えてくるのは、三人ともまだ問題Fを解く力は乏《とぼ》しいってこと。まあ、一番難しい問題ってのもあるし、全国大会に参加する他のプレイヤーでもここまで解ける人はあんまりいないだろうけどね。でも強豪校になると解けるプレイヤーもちらほらいるだろうから、決勝で勝ちたいならスルーできないかな」

「それは……そのとおりですね」

うーん、と小百合はうなる。

「次に、個別に見てみようか。まずは長谷部ちゃんね。長谷部ちゃんの場合はわりとわかりやすくて、この三週間の課題点はズバリ、実装力」

「実装力、ですか」

「そ、特にロジックが複雑なやつとかコードを書く量が重めのやつとかね。過去にペナルティ出したり解答時間の長かったりした問題って、そういう問題に集中してるのよ。でも、数学色の濃い問題はさすがに解くのがめっちゃ速いし、ミスもほとんどない。だから、逆に言えば、複雑な実装さえ克服できればたぶんレートもグーンと伸びるはずなんだよね」

「なるほど……たしかに入り組んだコードを書くのはちょっと苦手ですね」

「でしょ？　たぶん慣れが必要だから、この三週間で細かいプログラミング文法とかも確認しながら、実装力を高めてこ」

「了解」

悦子の指摘のとおりだった。応用数学科なので数学的な考察には自信があるけれど、ちょっと複雑なコードを書いたりするのはまだ慣れていない。これまで解いた問題とその結果からここまで傾向が見えるものなのか、と改めて感心する。

「おっけー、そんなとこかな。次は豊福ちゃんの場合なんだけど、だいたい問題Eまで解けるようになってきてる。でも、Eを解ききるまででタイムアップになってるっぽいから、問題Fまで完答できるようになるためには、まずEまでを速く解けるようにすることを意識して鍛《きた》える必要がありそうだね。ココ、見てみ」

悦子はカーソルで、小百合の平均正答時間と全プレイヤーとの差分を示す。

「問題AとかB、Cはいいんだけど、D以降は難しくなるにつれてどんどん平均より遅くなってるんだよね。解くことは解けるんだから、問題D、Eを今よりもっと速く解けるようになるのがこの三週間の目標だね」

「なるほど……なんとなく自覚はあったんですけど。納得です」

「うん。それで安定して速く問題Eまで解けるようになれば、Fにもっと時間かけられるようになるからさ」

「了解です」

「うぃ。最後に井手上ちゃん」

「ふぇい」

「井手上ちゃん……おつかれさまでした」

「え！　ちょっちょっちょ、どゆことえっちゃん」

「わたしは……もう……」

悦子は目を伏《ふ》せて、首を横に振る。

「えー！　なんなんそのリアクション！　えっちゃあん！」

「というのは冗談で」

涼子は椅子の上でズルッと滑《すべ》る。

「なんなんもう!?」

「そーりー、そーりー。ちょっと場を和ませようかと」

「いや、胃のあたりがキュウンッてなったやん……やめてホント」

「ごめんごめん。で、井手上ちゃんの場合は見てわかるとおり、ペナルティの数だね」

涼子のペナルティ数は、わたしと小百合に比べて倍近くになっていた。

「焦ってコード提出しちゃって《WA》、とかいうパターンが多いのかな?」

「うう……そうなんよ」

「とりあえず入力例はクリアするんだろうけど、たぶん特殊なテストケースとかで引っかかっちゃうんだろうね。そういうのってある程度パターンがあるし、焦らず丁寧に提出する癖をつけたほうがいいね。はじめのうちはちょっと時間かかるかもだけど、慣れてくればそんなにロスしないはずだから」

「はーい」

「あとは、問題Eがいかに解けるか、かな。たぶんこれまでは問題CとかDとかで時間かかっちゃって、Eにはあんまり時間かけられてないんだよね。てことで、井手上ちゃんのこの三週間の目標は、ペナルティを出さないように丁寧な実装をすることと、問題C、D、Eの演習を重ねることだね」

「お任せあれ!」

「そんな感じかなぁ。あとはさ、これまでの全国大会の出題傾向なんだけど」

悦子は別のページを表示させる。問題ごとに分野と難易度が整理されてあった。

「見る限り、動的計画法を使って解くような問題は毎年必ず出てるんだよね。あと、数学的なものでいけば確率がらみの問題とか、整数論系とか数列系がちらほらかな」

動的計画法は、与えられた問題全体を部分問題に分割して、それぞれの部分問題の解を順次求めていって、最終的に問題全体の解を求める手法だ。普段のコンテストでもよく出題され、わたしたち三人は悦子の特別講義で例題を通じて基本的な内容は教わっていた。

「で、数学的な問題はまだしも、動的計画法を使うような問題は三人とも演習量が少ないっぽいからさ、１００本ノックしてもらいまーす」

「１００本ノック？」

涼子が首を傾げる。

「その名のとおり、動的計画法にまつわる問題だけ１００問解いてもらうのよ。バーチャルコンテスト形式でもうセレクトしてあるから、お楽しみに！」

「まぁじで！　ヤバ……あたし、死ぬかもしれん……」

涼子は戦々恐々《せんせんきょうきょう》とする。

「あははッ！　だいじょーぶ、だいじょーぶ」

それとさ、と悦子は補足する。

「三人それぞれの課題点と目標はさっき話したとおりなんだけど、ただやるだけだと成果が見えづらいからさ。明日と最終日間際に実力テスト的なバーチャルコンテストやりまーす」

「えっ、さっそく明日？」

涼子が訊く。

「まあ、問題は初級者向けコンテストからセレクトするけどね。実力のバロメータ的な感じでやろう」

「えっちゃん、スパルタすぎん？　だいじょぶそ……？」

「そう？　でも、決勝に進みたいならこのくらいやらなきゃでしょ？　ねえ、代表」

悦子はにやけた顔を小百合に向ける。

「そうですね、これでも甘いくらいかもです。もっと厳しくお願いします」

「お嬢、実はドMやったと!?」

「ドMは一つの才能よ」

「いろいろと心配！」

小百合の言うことはあながち冗談とも思えない。ドMうんぬんの話は別としても、早乙女大に、そして他の強豪校に勝つには、このタイミングで厳しい特訓をする必要があるだろう。強豪校はわたしたちの先を進んでいるだけでなく、今この瞬間にも全国大会に向けて練習し続けているはずなのだ。彼女たちと同じようなことを同じだけやっていても、勝てるわけがない。

ここまで一緒にやってきて、小百合も涼子もやるときはやるタイプだとわかっているし、それはわたしも同じはず。そして今は、やるときだ。

「まあまあ」

わたしは二人の間に割って入る。

ここは気を落ち着けて、前向きにならないと。

ポニーテールを一撫でして、笑みを投げかけた。

「わたしたちなら乗り越えられるよ。きっと、大丈夫だから」

三人の視線がわたしに集中した。リアクションは何もない。

しばしの無言が続く。

「あれっ？　わたし、何か変なこと言った？」

「なんや急に……胸キュンやわ……」

涼子がため息交じりに言葉を漏らす。

彼女の瞳が少しだけ潤んだように見えたのは気のせいかもしれない。

「まなたんの、いけず」

「まなたんはやめい」

こうして、壱岐での三週間が始まった。

3

合宿二日目、快晴。

一回目のバーチャルコンテストは、三人とも実力どおりの結果を示した。悦子の選んだ問題も奇をてらったようなものはなく、それぞれ現在のレートにほぼ近い得点で、悦子の言葉どおりシンプルに実力のバロメータとして捉えられるものとなった。

早乙女大との親善試合で《ＡＣ》できなかった二分探索法について、わたしは悦子から改めて解説してもらった。アルゴリズム自体の基本的な考え方は理解できていたが、いざ問題となると、その応用の仕方がまだまだわかっていないと自覚していたからだ。小百合と涼子も一緒に悦子の教えを受ける。過去のコンテスト問題を使いながら、シンプルな問題から複合的な問題まで解いていくことで、二分探索法の使い方を体に染みこませていった。

そこからは、苛烈《かれつ》を極めた。

朝六時には起床し、食事まえに前日の復習で90分間、ひたすら問題を解く。朝食を終えて少しだけ外の空気に触れたあとは、悦子の講義が始まる。内容は、中学・高校数学の復習から始まり、三人の理解度に合わせて徐々に大学レベルの数学までカバーしていった。解説を受けたあとに、悦子が用意しておいた問題を粛々《しゅくしゅく》と解いていく。

昼食をはさんで夕方までは講義と演習を繰り返して、夜は就寝するまでの間、弱点分野の対策を徹底的に行う。合宿初日に悦子が説明した課題点と目標に合致するよう、日々の進捗に合わせて問題を解いたりアルゴリズムや数学の勉強をしたり、といった具合だ。

寝ても覚めても競プロ漬けの毎日が続く。

合宿開始から十日が過ぎて後半戦に入ると、小百合と涼子の様子が変化してきた。小百合は一日中ブツブツとひとり言を話すようになり、だんだんと目の焦点が合わなくなっているような気がした。そして涼子は二度吐《は》いた。わたしはわたしで、自分の書いたソースコードや黄色の《WA》《TLE》が夢に出てきてうなされるようにまでなっていた。

さすがに危ないかもしれないと感じたのか、悦子が休養日を設《もう》けようと提案したけれど、小百合も涼子も頑《かたく》なにペースを崩《くず》そうとしなかった。

「やらなきゃ……あの問題終わったら次は速解き……速解き……」

小百合はひとり言を繰り返すばかりだ。もともとくっきりとした二重だったまぶたが三重になっていて、目尻のあたりがピクピクと痙攣《けいれん》している。

「むぅ……そういえば井手上ちゃんは？」

「なんスか……」

げっそりとした顔つきで、涼子が部屋に戻ってくる。一目でわかるほどに、島に到着したときよりも痩《や》せていた。

「井手上ちゃん、もしかして」

「もう透明なのしか出ないっス……」

——ここで一度、何がなんでも休んだほうがいい。

悦子に目配せをする。わたしの意図を察してくれたのか、彼女は一つうなずいてすぐにリビングへと向かった。そして数分後、ライカとフウカを連れて戻ってきた。小百合と涼子は悦子たちが部屋に入ってきたことにも気づかず、ノートパソコンの画面に集中して、ガタガタガタガタと鬼気迫《ききせま》る勢いでコーディングしている。

「いってらっしゃい！」

悦子の合図でようやく状況に気づいた小百合と涼子は、何事かといった顔をする。そしてフウカが涼子のそばに行って、島に着いたときよりも軽くなったであろう涼子の体を肩に抱えた。

「ちょッ！　待って！」

　涼子の叫びも空しく、精進部屋から強制的に退場させられていった。そして悦子は、目を白黒させている小百合に気づいたようで、

「休むのも精進のうちさぁ、代表」

　と言って、ポンと小百合の肩に手を置いた。しばらく何かを考えるようにしていたが、小百合は渋々といった様子でうなずいた。わたしが悦子、小百合と一緒に庭先へ出ると、涼子がロングワゴンに乗せられるところだった。

「待って！　まだあの問題解けてないんよ！」

　抵抗するものの、腕力でフウカにかなうはずもなく、あれよあれよと車内へと押し込められていった。

「ごゆっくりぃ！」

　悦子の声がして、わたしは小百合と後部座席に乗る。そして、ライカは運転席へ、フウカは助手席へ素早く移動した。後ろを振り返ると、敷地から走り出ていくロングワゴンへ悦子が大きく手を振っている姿が見えた。

「ふーい……」

　涼子の横顔は、角度によっては白目をむいているようにも見えた。

　島内の温泉。世間的には夏休み期間ということもあって、様々な世代の客がちらほ

らと入っていた。

「ヤバぁ……なんかいろいろ出そうなんやけど」

言って、涼子がポカンと口を開ける。

わたしは涼子と一緒に、かけ湯をしてすぐに湯船に浸《つ》かっていた。

「りょーちゃん……めっちゃ鼻水出てるよ」

夏のまばゆい日差しを反射して、涼子の鼻の下を流れる二筋の川がキラキラと輝いていた。

「あーね……目と耳からも何か出とるかもしれん……」

「二人とも、どう?」

小百合が湯船に入ってくる。

「お嬢……いろんなものが出とるばい……」

「ふふふっ、その顔。極楽って感じみたいね」

ふーっ、と小百合は一息つく。

「ちょっと、飛ばしすぎちゃったわね」

「そだね」

小百合の言葉にわたしはうなずいた。

「競プロも大事だけど……もっと大事な何かを失うところだったかもしれないわね。

べえやんはハマりやすいし、冷めにくいところあるもんね。りょーちゃんは意外と真面目っていうかひたむきだし」

「意外と、は余計やろ」

「ごめんごめん。まあ、せっかくの夏休みなんだし、普段来られないようなところに来たんだからさ。たまにはこういうのも、ね？」

小百合の言葉にわたしと涼子は、脱力したままうなずく。

「今ごろ、早乙女大のみんなも精進してるんかなー」

お湯で肩を流し、涼子が言う。

「そうね。さやちゃんとグェンさんは四年生で卒業研究もあるだろうからわからないけど、はるちゃんは頑張ってそうよね」

でもさ、と小百合は続ける。

「早乙女大のみんなもそうだけど、まだ他にもいるんだよね、ライバルは」

小百合は窓の外に目をやる。まぶたは三重から二重に戻りつつあった。

「前回大会は東雲《しののめ》大が優勝したんだけど、かなり強かったのよね」

「あーね、お嬢は前回も参加したんよね。そんなに強かったと？」

涼子が訊く。

「異次元、って感じ。京極《きょうごく》大とか東京理工大とかもすごく強かったんだけど、東雲大はぶっちぎりだったわ」

「へぇえ。そのまえの大会とかはそうでもなかったんかいな」

「聞いた話だけど、第一回は東京理工大が優勝して、第二回は京極大だったらしいわ。東雲大はどちらも決勝まで進んだみたいだけど、プールステージのあとのトーナメントで敗退したって。でも、最近になって一気に強くなったみたい」

「そうなんや……まあ、三人の総合力で勝負やしね、そういうこともあるか」

「そうね」

ザバァ、と小百合が湯船で立ち上がる。

「あれ？　お嬢、もう出ると？」

「うん、私はもう大丈夫」

「江戸っ子やね」

博多っ子やけど、と涼子は自分でツッコミを入れる。

「それじゃ、ごゆっくり」

そう言い残して、小百合は浴場から出ていった。

自分たちもそろそろ、と小百合に続いて湯船から出たところで、ひときわ異彩《いさい》を放《はな》つ二人組が浴場に入ってくるのが見えた。盛り上がった二の腕の筋肉、板チョコのように割れた腹筋、丸太のような太もも。遠目でもはっきりとわかるくらいに目立っていた。彼女たちは何かを探すようにキョロキョロとしていたが、わたしと涼子の姿を見つけると、真っすぐにこちらへ向かってきた。にこにことした雷神はわたしの前で、無表情の風神は涼子の前で立ち止まる。

「へ？」

涼子の腑抜《ふぬ》けた声が出る。フウカは無言で、コクリとうなずいた。

「えっ、ふうちゃん、どし——たぁんッ!?」

涼子は、あっという間にフウカからお姫様抱っこされる。そしてそのままなすすべもなく連れ去られた。

「え……？　えっと、わたし……も？」

「お任せください」

と、ライカがわたしに向かって嬉しそうに言った。わたしはさながら、蛇《へび》ににらまれたなんとやらだった。涼子に続いて、わたしもライカからお姫様抱っこされる。

「うわぁッ!?」

「お背中流しますので」

ライカはにっこりと笑った。

「待ってまって！　降ろして！　ここ、お風呂だから！　せめてお姫様抱っこは——ああッ、まってえ……！」

背中と両足をがっちりと抱えられ、わたしの叫びが浴場内にこだました。

4

物事の突き抜けた成功のためには努力だけでは難しく、その下支えとしていわゆる才能というものが必要になるのが現実だ。しかし、ハイレベルな競争になればなるほど才能があるという点ではそれほど差がつかず、そこからいかに努力の量と質を上回れるかが勝ち負けを左右しうる。

努力できることも才能のうち、という言説もあるけれど、それは努力が足りない者の言い訳でしかない。本当に努力を重ねている人間はそんなことすら考えることもなく淡々と、着々と他人の何倍も努力をしている。むしろ本人はそれが努力だとも感じていない。だけど、努力がいつでも必ず実るわけではないこともまた現実。

努力と才能。いずれかが欠けても、ハイレベルな競争での勝利は成しえない。

ジュウジュウと焼けていく肉を眺めながら、わたしはそんなことをぼんやりと考えていた。

温泉では思う存分にリフレッシュできた。小百合も涼子も、憑《つ》きものが落ちたかのようなさっぱりとした顔をしている。別荘に戻ると、悦子がリビングのど真ん中で大の字になって寝ていた。連日の講義の準備と解説、三人の戦況の分析や演習用の問題のセレクトなど、最も自分自身を酷使していたのは、よだれをたらしてイビキをかいているこの数学者だったのかもしれなかった。

島に着いてすぐ、自身の大学の仕事や研究なども忙しい中どうしてここまで熱心に顧問を務めてくれるのか、と訊いたことがあった。返答はシンプルで『楽しいから』とだけ。この合宿期間中も、大学での会議はちょうど入っていないタイミングで、それ以外の事務的な仕事はメールや電話でのやり取りで済ませているようだ。自身の研究に至っては「紙とペンとパソコンがあればどこでもできるんさぁ」と笑っていた。そんなものなのかなと思いつつ、そのときは感謝の気持ちを伝えておいた。

小百合の提案で、夕方の早めの時間から庭先でバーベキューをすることになった。ライカとフウカに連れられて、ショッピングモールまで買い出しに向かった。別荘に戻ってきた頃には悦子も起きていて、バーベキューの話を聞くと「お肉大好き！」とはしゃいでいた。

「べえやん、焦《こ》げちゃうばい」

涼子が肉を指さすのに気づく。

「あ、ごめんごめん」

すぐにトングで肉をひっくり返した。

「どしたん？　ぼーっとしちゃって」

「ううん、だいじょぶ」

わたしと涼子の立つコンロから少し離れた場所にテーブルがあり、小百合、悦子、そしてライカとフウカが談笑している声が聞こえてくる。

「にゃっはっは！　豊福ちゃん、飲んでるかーい！」

「ええ、飲んでますよ。えっちゃん、ご機嫌ですね」

「お肉も美味しい！　ビールも美味しい！　ハッピーさぁ！」

悦子の大笑いが響く。

「ほれ、焼けたばい」

涼子がコンロの網から肉を皿に移し、テーブルへと運ぶ。海鮮食材も一緒に焼いていた。

「おっ、イカとかエビとか！」

おいしそー、と悦子が声を上げる。

「りょーちゃんはさ」

コンロに戻ってきた涼子に、トングで網に野菜を並べながら訊いてみた。

「ん？」

「競プロ、好き？」

「どしたん、急に」

「いや、どうかなって思って」

うーん、と涼子は考えるような仕草《しぐさ》をする。

そして彼女は、缶ビールを飲み干して答えた。

「最初はさぁ、正直、そんなでもなかったかもしれんね」

「そうなの？」

「うーん……まあ、情報工学科やから講義でよくプログラミングしとるけどさ。なんていうんやろ、競プロはそこまで優先順位高くなかったっていうか。もともとお嬢から誘われて、なんとなーくノリで始めたって感じやったんよね。あたし、他にもサークル入ってたり、アルバイトとかもしよったけん」

「そういえば、今はもう辞めちゃったんだよね、どっちも」

「うん。あたしさ、今にして思えば、他のサークルとかアルバイトって別にそんなに思い入れとかないし、ただなんとなく続けてただけなんよね。競プロも最初はそれほどでもなかったけど、でも、だんだんハマってきたっていうか」

涼子のグラデーションカラーの髪が、夕日で鮮《あざ》やかに照らし出される。

「ずっと得意やと思ってたプログラミングでさ、突き抜けた結果が出せなくて、レートは多少上がったけど遠征試合ではボコボコにされて、正直けっこう焦ってたんよね」

へへっ、と涼子は力なく笑う。

「ゆうて、競プロに熱が入ってきたのは、べえやんの影響も大きいかな。べえやんがゲームを全部処分してたのもそうやけど、部室で演習しとるときの集中力とかハンパなかったし、合宿初日に励ましてくれたのもさ……なんていうか、芯があるっていうんかな？　ブレずに自分の意志を貫《つらぬ》くみたいなところがあって、強いなって。あたしもそれに触発されたんかもしれんっちゃね」

涼子から柔らかな眼差しを向けられる。

「追いかけていたい、一緒に高みを目指したい、みたいな気持ちがあるっちゃね。あたし」

普段の涼子からは想像もつかない、優しくも儚《はかな》げな表情だった。

「りょーちゃん……」

そんなふうに見えてたのか、と急な気づきがわたしの胸の内に降りてくる。

返す言葉が思いつかず、「それってもう恋かもね」とはぐらかしてしまった。

あははッ、と涼子は吹き出す。

「ガチ恋かもしれんばい」

涼子はおどけた口調で言う。でも、その澄《す》んだ瞳は決してふざけていなかった。

最近でこそ部室で一緒に練習する時間も多くなったけれど、春頃に新生競プロ部としてスタートしたときは、週に一回の部室での集合と週末のコンテスト以外は基本的に別行動だった。それでもわたしたちが一緒に過ごす時間は、数か月かけてちょっとずつ積み重なってきたのだろう。わたしと涼子との、そして小百合との仲は気づかないうちにどんどん深まってきたのかもしれない。

わたしは結局、黙ったまま微笑んだ。

へへっ、と涼子は照れ隠しのようにいたずらっぽく笑う。

わたしたちの夕暮れは過ぎていった。


合宿は残り二日となった。

いよいよ総まとめ、二回目のバーチャルコンテストだ。一回目のときは、三人とも自身のレートにほぼ近い得点を記録した。そこから三週間近く、昼夜問わず競プロに没頭《ぼっとう》してきた成果を確かめるときがきた。

「よーし、セッティングしたよ」

悦子が告げる。問題のセレクト自体は前日のうちに終えていて、開始と終了の時間の設定などを調整していたようだ。

「もうちょい時間あるから、ちょっとだけ」

オホン、と悦子が一つ咳払《せきばら》いをする。

「正直、みんなこの三週間で相当強くなったさぁ。競プロっていう範疇《はんちゅう》では、たぶん多くのプレイヤーがかなわないくらいまできてると思うよ。でも、一番手ごわいのは他のプレイヤーじゃなくて、自分自身だからね。勝ち負けも大事だけど、それに一喜一憂しないで、昨日までの自分を超えていこう」

何も言わず、わたしは首を縦に振る。

——昨日までの自分を超える。

その積み重ねが揺るぎない実力となり、高みを目指すことができる。

小百合と涼子のほうを見ると、彼女たちもそれぞれに感じることがあるようだった。

二人とも、良い目をしている。

「よっし、それじゃいこうか、諸君！」

悦子の合図で、バーチャルコンテストを開始する。

「ガンガンいこうぜッ！」

5

「夏だ！　海だーッ！」

涼子の叫び声が響く。三週間まえにも同じことを叫んでいた気がする。

クリアブルーの海を前にして、涼子は全開の笑顔ではしゃいでいた。

「そんなに走ると転ぶわよー」

保護者のような小百合の口ぶりに、笑いそうになる。

午前中のバーチャルコンテストでは、顕著《けんちょ》な成果が見られた。わたしは、課題点だった実装量多めの複雑なコーディングを徐々に克服しつつあった。そして二分探索法の応用問題や、大会本番でも頻出の動的計画法がらみの問題も、いろんなパターンを解き続けることで、少なくとも問題文を読んで対応に悩むようなことはほとんどなくなってきていた。

小百合は当初の課題点だった解答スピードの向上を概《おおむ》ねクリアできているようだった。悦子のアドバイスに従って、典型的なパターンをつかんで習熟することで、問題文を読めば解法の方針がすぐに立つところまで演習を重ねた。その結果、問題Eについてはまだ改善の余地があるものの、それよりも易《やさ》しい問題については解答時間をコンスタントに短縮させられるようになってきたようだ。

そして涼子はこの三週間、とにかく丁寧な実装を心がけ、ソースコードを提出するまえに一度立ち止まってテストケースを吟味《ぎんみ》することを習慣づけた。その甲斐《かい》あって、だんだんとペナルティの数は減ってきている。バーチャルコンテストでも、一回目のときはペナルティを三回出してしまったが、三週間経って二回目ではペナルティなし。

の三週間の努力はまだ正式なレートには反映されていないため、この三週間の努力はまだ正式なレートには反映されていない。

明確な進歩と言えるだろう。

二回目のバーチャルコンテストを終えて、通常の合宿メニューに戻ろうとしたわたしたちを悦子は制し、自由時間を取るように諭した。動的計画法100本ノックでも三人ともかなり消耗《しょうもう》していたし、そうでなくとも合宿終了を間近にして誰に言われるでもなくそれぞれに追い込みをかけていた。悦子としては、このタイミングでこれ以上追い込む必要はないし、島での最終日まえくらいは羽を伸ばしてほしいという思いだったのかもしれない。

合宿の折り返し時点で三人とも瀕死《ひんし》の状態になっていたのを思い出し、悦子の言葉に素直に従うことにした。小百合も涼子も、異論はないようだった。夏といえば海、ということで、壱岐の中でも特に海の透明度が高い海水浴場として知られている離れ小島に、ライカとフウカを連れて小型の連絡船で訪れていた。悦子は、仕事があるから、と別荘で留守番をしている。

開かれた造りの休憩所でわたしが座って休んでいたところに「べえやぁん」と小百合が手を振って笑顔で駆け寄ってきた。ライカとフウカは、少し離れた場所で砂の城を作っている。

「べえやんは遊ばないの?」

「うん、わたしはここでのんびりしてるよ」

そっか、と小百合が隣に腰かけてくる。彼女はテーブルに置いてあった麦茶のペットボトルを開け、喉に流し込んだ。

「お嬢は、泳がないの?」

「うん、水着ないしね。べえやんは持ってる?」

ううん、と首を横に振る。

だよね、と小百合は笑った。涼子も水着は持ってきていなかった。

「せっかくの海なのにさ、もったいなかったわね」

「ほんとだね」

わたしも笑い返す。麦茶をあおる小百合の横顔を眺めながら、大学のコンピュータルームで初めて小百合に接したときのことを思い出した。

「べえやん、さ」

涼子が水際《みずぎわ》ではしゃいでいるのを遠目に眺めながら、小百合は口を開く。

「ん?」

「ありがとね」

映画のワンシーンを切り取ってきたような、小百合の笑顔。

唐突に、胸の内からこみ上げてくるものを感じた。

「何が？」

精一杯、悟《さと》られないように短く訊ねる。

「競プロ部、入ってくれてさ」

「ああ……だってそれは、お嬢との対戦で負けたから」

「まえから訊いてみたかったんだけどさ、べえやんって、本当は誰かと何かを成し遂《と》げたいって思ってた？　のかな？」

不意に、幼少期からの自分の姿が脳裏を駆け抜ける。

小学生の頃は地元の剣道クラブに所属し、一人で遊ぶよりも道場で誰かと一緒に剣道の練習をしていることのほうが多かった。中学校に入学してから剣道部に入り、経験と実力で他の生徒を上回っていたであろうわたしは、一年生ですぐにレギュラー入りして団体戦へ出場。地区大会で成績を残し、個人戦でも県大会に出場できるほどだった。

しかし、得るものがあれば失うものもある。上級生を差し置いてレギュラー入りをしたことで反感を買ってしまい、二年生と三年生からの露骨《ろこつ》な嫌がらせが続いた。特に、中学校生活で最後の大会となる三年生からの圧力はひどく、竹刀《しない》や道着をどこかに隠されたり、中学校の剣道では禁止されている突きを喰《く》らわされたりと、プレッシャーをかけられる毎日。

チーム全体の強さがもっと底上げされれば自分一人がこんな目に遭うことはないかもしれないと思い、チームをより強くさせるために自分の力を最大限に発揮したい、とわたしは強く願って、日々の精進にも熱を入れた。だけど、わたしが頑張れば頑張るほど、状況は悪化するばかりだった。

次第に同級生たちからも敬遠《けいえん》されるようになり、結果的にレギュラーの座を半強制的に辞退させられることになった。わたしの代わりで団体戦に出場した三年生はあっけなく敗北し、チームとしても全敗で、団体戦はあっさりと一回戦負け。

——こんなことがまかり通ってよいのか。

わたしの心に、憤《いきどお》りを通り越して、哀《かな》しみが刻み込まれた。

部活なんて、誰かと何かを一緒に頑張るなんて、もうこりごりだ。

そんな思いを強く抱いて、わたしは剣道部を自主退部した。そのうち地元の剣道クラブからも足が遠のき、剣道そのものをやめてしまった。

それ以来、一人で行動することが多くなったわたしは、誰かと一緒に過ごすことを避けるようになった反動で数学にのめり込んでいった。もともと小学生の頃から算数は得意科目だったけれど、元来の才能も相まったのだろう、勉強すればするほど成績は上がり、楽しさが増していった。

何より、数学は裏切らない。数学の問題を考えているときはいろんな煩わしさから解放される。高校でもその気持ちは変わらず、大学の数学科に進学するというのは自然な流れだった。

しかし、小百合の言葉で、ふと気がつく。

ずっと胸の奥底に居座っていた違和感。澱《おり》のようなもの。

見ないふり、気づかないふりをしていた。

もしかしたら、自分は目をそらしていただけだったのかもしれない。

誰かと何かを一緒に頑張ることなんてもうたくさんだと思っていたけれど、そう思い込もうとしていただけなのかもしれない。

自分は、本当は――。

「遠征から戻ってきたあとくらいからかな、べえやん、まえよりも部室によく顔を出してくれるようになったでしょう？　それでさ、春頃よりずっとずっと楽しそうに見えるんだよね」

小百合はダークブラウンの髪をかき上げ、言葉を続ける。

「もしかしたらだけどさ、一緒に笑い合ったり、励まし合ったり、ときにはぶつかり合ったりする仲間がずっとほしかったのかな？　そんな仲間に恵まれなかったのかな、今まで」

でもさ、と小百合はわたしのほうへ顔を向ける。

「私とりょーちゃんは、べえやんの仲間だから。ずっと」

小百合は、無言でわたしを見つめる。

わたしは少しだけ目を見開いた。

返す言葉が思い浮かばない。

そして小百合は、ふふふっ、と笑った。

「自分で言っておきながら、なんだか照れちゃうね」

そのとき、いつの間にか波打ち際から戻ってきていた涼子が、ライカとフウカを挟んでそびえ建つ巨大な砂の城のそばで「すっげー！」と叫んだ。

「何あれ、ちょっと見てくるね」

小百合は腰を上げて、三人のもとへ向かった。

快晴。

海の碧《あお》さは、晴れ渡った青空と境目なくつながっているようにも見える。

――わたしは、仲間が欲しかったのだろうか。

小百合の言うように、本当は心のどこかで、深い絆で結びついた仲間を求めていたのだろうか。

砂の城で話が盛り上がっていた四人は、海のほうへと駆け出す。わたしも立ち上がり、彼女たちを追いかけた。

「べえやん！　白い魚の群《む》れがおるよ！」

「どこどこ？」

涼子が指さすほうを見ると、澄みきった透明度の高い海の底で、魚の群れが規則正しく整列して泳いでいた。

「あーッ！　水着持ってくればよかったぁ！」

涼子が叫ぶ。

そして小百合が、パンッ、と両手を合わせた。

「飛び込んじゃえ、りょーちゃん！」

「ええッ!?」

そして小百合はライカとフウカを見る。

二人は顔を見合わせ、フウカが一歩前へ出た。

「ちょ、待って、すっごい嫌な予感がするんやけど」

心なしか微笑んだように見えたフウカが、涼子をお姫様抱っこした。

「待って、ちょ、まって！　なんかちょっとまえにもこういう――おあぁぁあッ！」

綺麗な放物線を描き、涼子の体が宙を舞う。

どっぽおおぉん、という大きな音とともに、派手に水しぶきが上がった。

「りょーちゃあん！　ははっ、飛んだぁ！」

小百合が大きく笑う。

「ぶっは！　きもちーッ！」

浮かび上がってきた涼子の、はしゃぐ声が響く。

そしておもむろに、わたしの肩に手が置かれた。

振り返ると、ライカがにっこりと笑っていた。

「えっ、ごめ、わたしは——うあああぁッ！」

あっという間に抱えられ、涼子と同じく宙を舞った。

「ぶはあッ！」

水面から顔を出すと、小百合がわたしと涼子を見て、

「べえやん！　りょーちゃん！　鼻水出てるよぉ！」

と大声で笑った。

「お嬢も飛び込んだらええやん！　気持ちよかばい！」

大きな声を上げて、涼子がバシャバシャと両手で水しぶきを上げる。

——仲間。

小百合と涼子。

わたしは、二人のことを信じてもいいのかもしれない。

『一緒に高みを目指したい――』
普段はおちゃらけている涼子が見せた、あの真剣な表情。
きっと、本心なんだと思う。
そしてそれは、わたしも同じ気持ちなんだろう。
『私とりょーちゃんは仲間だから、ずっと――』
それは、小百合の本音。
きっと、小百合と涼子とはずっと仲間でいたいというのも、わたしの本音。
「いっくよぉ！」
叫んで、小百合も海に飛び込んでくる。
そして水面から顔を出して、
「あははッ！　気持ちイイね！」
と小百合は笑った。
晴れ渡った夏の日差しの下で、小百合と涼子のとびっきりの笑顔が輝く。

眩しいのは、水面で光が反射しているからというだけではなかった。

不意に泣いてしまいそうな、叫びたくなるような、そんな感情が胸の奥からあふれてくる。

――わたしたちなら、きっとやれる。

ずっと一緒に。

こうしてわたしたちの三週間は、キラキラと過ぎていった。

第六章　天高く乙女肥ゆる秋

1

太陽の光がじりじりと照りつける季節が過ぎようとしている。

九月。暦《こよみ》の上では秋に入ろうとしていた。

この頃になると、地獄《じごく》を味わった三週間の合宿の成果が目に見えて表れてきた。わたしも小百合も、涼子も、合宿明けに参加したコンテストで一気にレートを伸ばし、それぞれランクが一つ上がった。わたしと涼子はランクCからBへ、小百合はBからAへ。喜ばしくもあり、あれだけ競プロ漬けの毎日を乗り越えたのだから当然だというのが正直なところだ。

一方で、課題点の一つとして挙がっていた問題Fの攻略は、依然としてクリアできずにいた。さすがに初心者向けコンテストでの最難問というだけあって、そもそもコンテスト時間内に正答できるプレイヤーは全参加者のうち数パーセント程度だ。ここの攻略に注力するよりも、現時点では問題Fより難易度の低い問題をより確実に、より速く解けるように演習量を重ねることが重要だと三人の意見は一致していた。

そして迎えた九月九日。この日は朝から抜けるように晴れ渡った青空だった。昼まえから三人で部室に集まり、いよいよ開催される予選ステージを待ち構えていた。アルゴコードの公式サイト上で午後二時からリアルタイム放送が始まり、ルールについて説明される予定だ。

予選ステージに参戦する大学は、全部で四十六校。前回大会よりも増えている。それだけ競プロの認知度が高まってきている証拠だろう。予選ステージでは八つのグループに分かれ、それぞれ五校または六校の組み合わせだ。前回大会と同一ルールで、各グループ上位二校、合計十六校が決勝進出となる。

前回も出場している小百合は心の準備が比較的できているようだったが、涼子は何度も席を立ったり、ノートパソコンのキーボードやマウスの手入れをしたり、どこか落ちつかない様子だった。

「大丈夫よ、りょーちゃん」

小百合が声をかける。

しかし涼子は、うん、と答えるもののどこか上《うわ》の空《そら》な顔をしていた。

部室の壁の時計は、午後一時半を指し示している。放送開始まであと30分だった。

そうだ、と小百合は思いついたように言う。

「あのさ、さやちゃんたちに連絡してみない？」

小百合はスマートフォンで紗綾の連絡先にビデオ通話を発信した。数コールでつながる。

『あ、小百合ちゃん？』

「さやちゃん、久しぶりね」

『みんな集まってる？　よね、たぶん』

小百合はスマートフォンの画面をわたしと涼子のほうへ向ける。

「もちろん、べえやんもりょーちゃんも一緒だよ」

『さやセンパイ、福岡のみんなですかぁ？』

遥香の声が聞こえ、画面に顔が映し出される。

『あ、うん。グェンさんもこっちおいでよ』

グェンも現れ、顔をのぞかせた。

涼子が画面越しに手を振って応える。

「はるちゃん！　グェンさん！　元気ぃ？」

『りょーちゃん、ごぶさたぁ！　スゴイところと当たったみたいだけど、がんばってねぇ！』

　涼子は返事に詰まる。

　たしかに、予選ステージのグループ分けを見たときから複雑な心境だった。それもそのはずで、前回優勝の東雲大チームと同じグループになっていたのだ。そして他にも、強豪校として知られる筑紫《ちくし》大チームが同グループに入っている。予選ステージ通過のためには、東雲大はまだしも、少なくとも筑紫大には勝つことができないと絶望的だろうと暗黙のうちに理解していた。

「はるちゃんたちは五校やね」

　涼子が言う。参加校数の関係で、グループ1と2は五校、それ以外の六グループは六校の組み合わせだった。紗綾たち早乙女大チームはグループ2で、強豪校である関西中央大チーム、筑紫工業大チームなど、熾烈《しれつ》な争いになることが予想された。

『だねぇ、うちもがんばんなきゃ。ですよね、さやセンパイ』

『そうね。グェンさんも、何か話す？』

　フレームアウトしていたグェンが現れ、眼鏡をクイッと持ち上げる。

『ガンバリましょう、いっぱい』

　相変わらずの口調だったが、なんとしても、という気持ちはよく伝わってきた。

　最後は紗綾が、

『決勝でまた会おうね！』

と爽やかな笑顔を向けてきて、ビデオ通話を終了した。

「いっちょ、やってやりますかぁ！」

涼子は、先ほどまでの気負いのようなものが晴れた顔つきになる。彼女は、紙パックのリンゴジュースを飲んで自席に着いた。

「もうそろそろね」

小百合の言葉で壁の時計を確認すると、時刻は午後一時五十五分、公式サイトで放送が始まる直前だった。小百合がノートパソコンにＨＤＭＩケーブルをつなげ、ホワイトボード上にプロジェクターで画面を映し出す。そして公式サイトにアクセスし、放送のページを開いた。ライブストリームはすでに始まっていて、スーツ姿の若い女性がなにやら準備を進めていた。普段のコンテストでも告知やアナウンスをしている、アルゴコード社社員の梅谷陽子《うめたにようこ》、通称うめちゃんだった。

『あーあー、みなさん聞こえますかー。あーあー、テステス、マイクチェック』

どうやら、アルゴコード社の本社オフィス内にある会議室らしき部屋で放送しているようだ。画面奥にはビジネスカジュアル風の女性が座っているのが映っている。

そして、定刻になった。

『みなさあぁん！』

うめちゃんのアップが映し出され、先ほどのマイクチェックよりも大きな声が響いた。

『いつもアルゴコードを楽しんでいただいて、ありがとうございまぁす！　今日は待ちに待った運動会！　アルゴリズムの運動会ですよぉ！』

「なんやそれ」

放送を眺めながら、ぷふっ、と涼子は吹き出した。

『第八回！　全国大学競プロ女子、最強王座決定戦！　今日はその予選ステージでございまっす！　いやぁ、きちゃいましたねぇ、この日が！　参加者のみなさん、準備は万全ですか？　今回の参加は四十六チーム！　ありがとうございます！　泣いても笑っても、今日で三分の一になりますよぉ！　さあ、このあと午後二時半からいよいよ予選ステージ開始なんですけども！　そのまえに、アベハルさんからご挨拶ということで、お願いしまぁす！』

うめちゃんは、ひとしきりテンション高めにまくしたてたあと、奥で座っている女性のほうに振り向いた。その女性は立ち上がり、カメラのほうへ向かってくる。凛々《りり》しい顔つきで、はっきりとした顔立ちだ。

『どうも、アベハルです』

明瞭《めいりょう》な声で挨拶をする。アルゴコード社の代表取締役社長、安部晴美《あべはるみ》。かつては自身も競プロのプレイヤーで、世界大会でも何度も入賞しているトップランカーだった。

『今回で第八回になるわけですけど。この全国大学競プロ女子最強王座決定戦、私としてはかなり力を入れてまして』

アルゴコード社は創業から現在まで、数々の企業とスポンサー契約を結ぶに至《いた》り、国内の競プロサービスの中でも最大規模となっていた。そのアルゴコードでは定期的に開催されるコンテスト以外にも様々なオンサイトコンテストなどを開いているが、そのうちの一つとして全国大学競プロ女子最強王座決定戦がある。競プロ女子の人口をもっと増やしたいというアベハルさんの想いから開催されるようになり、今回が八回目となる。

『これまでの大会でも数々のドラマが生まれました。そして今回も、今まで以上のドラマが生まれることを期待しています。参加者のみなさん、全力を尽くしてくださいね！』

満面の笑みをカメラに向けて、アベハルさんは手を振って奥の席へと戻っていく。

『ありがとうございます！　はい、というわけでですね、これからルールを説明していきたいと思いまーす。参加者のみなさま、しっかりと聞いててくださいね。予選ステージは午後二時半から四時半までの１２０分。問題は六問出題されます。チームのグループ分けは事前にアナウンスしたとおりですが、わからなくなった場合は公式サイトでご確認くださいね。グループは全部で八つ、各グループで上位二校が予選勝ち抜けとなります』

　天神大チームはグループ7だった。

『ここからちょっと細かい説明になりますけど、よぉく聞いておいてくださいね。まず、勝敗は各グループ内の順位で決まり、各チームの総得点が高い順に上位となります。三人一組なので、三人の得点の合計が高い順ということですね。で、総得点が同じだった場合。この場合は各チーム三人の正答時間の合計が短い順に勝ちとなります。さらにそれも同一だった場合、今度は各チーム三人のペナルティ数の合計が少ない順に勝ちとなります』

　事前に前回大会までのルールは確認してあったので、初めて知るような内容は特になかった。

『ここまで大丈夫ですか？　総得点の高さ、総正答時間の短さ、総ペナルティ数の少なさの順で勝ち抜けが決まっていきますよ。さらにさらに、総ペナルティ数まで一緒となると、チーム内のメンバーで最長の正答時間をチーム間で比べて、短い順に勝ち抜けとなります。そ、れ、で、も！　決まらない場合は！　別問題セットで再試合でーす！』

　説明を聞きながら、小百合がホワイトボードに箇条書《かじょうが》きでルールを並べていく。

・決勝進出は各グループ上位二校
・メンバーの総得点の高い順に勝ち抜け
・総得点が同一 ↓ 総正答時間が短い順に勝ち抜け
・総正答時間が同一 ↓ 総ペナルティ数が少ない順に勝ち抜け
・総ペナルティ数が同一 ↓ メンバーの中で最も長い正答時間をチーム間で比べて、短い順に勝ち抜け
・それでも決まらない場合 ↓ 別問題で再戦

「最後から二番目のやつ、ちょっと複雑やけん、もっぺん確認しといたほうがよくない？」

涼子が口元に手を当てながら言う。

「そうね、チームに三人いるから……たとえば」

ホワイトボードにチームA、チームBと小百合は書いていく。

「チームAの三人の中で一番長い正答時間が86分、チームBでは91分だったとすると、これらを比較してチームAのほうが5分早いからチームAの勝ちっていうことよね」

わたしも腕組みをしながら考える。あまり考えたくはないけれど、もしもチームの

誰かが一人でも正答時間が極端に長い場合は、そこがボトルネックになってしまう可能性があるということだ。放送では、うめちゃんが同じ内容を再度説明していた。

「まあ、ここまで同じになることってそうそうないと思うけど。総得点は同じになることもあり得るけど、重要なのはやっぱり総正答時間と総ペナルティ数だと思うわ」

「なんやかんや言うて、結局これまでどおり、っちゅうことやね」

凉子が言う。

「おつかれぇい、皆《みな》の衆《しゅう》」

ドアを開けて入ってきたのは悦子だった。パンパンにふくらんだレジ袋を片手に持っている。

「コンビニで買ってきたさぁ、食べて食べてー」

悦子が袋を開くと、シュークリームやエクレアなど、スイーツが盛りだくさんだった。

むう、と凉子がうなる。

「えっちゃん……めちゃくちゃありがたいんやけど、あたし今、体重が……」

「なーに言ってんの育ちざかりが！　体重とか気にしないでどんどん食べれ！」

「これ以上肥《こ》えたらお嫁にいけなくなっちゃう！」

「大丈夫よ、そんときはわたしが島流しにしてあげるから」

「あ、助けてくれるとかやないんや……」

悦子は小百合の隣の空きデスクに座り、ガサガサッとスイーツを並べる。わたしも小百合もそれぞれにスイーツを取っていき、涼子も結局その魔力には抗《あらが》えなかったようで、両手に取っていった。

そして、小百合がつないでいたＨＤＭＩコードを悦子が受け取り、代わりに悦子が持ってきていたノートパソコンで放送を流す。わたしたちが問題に集中するための配慮だと思うとありがたかった。

再びうめちゃんのテンション高めの声が流れた。

『はい、それではルール説明はここまでになりまーす！　基本的なルールは通常のコンテストと同じですよ！　そんなのわかんねーという方は、参加者の中にはたぶんいないと思いますが、公式サイトで確認しておいてくださいねー。それではみなさん、開始の合図はこちらで出しますからね。開始まであと5分！　競プロ乙女たちのアルゴリズムの運動会、いよいよでーす！』

否《いや》が応《おう》でも緊張が高まる。予選ステージはオンライン開催なので相手の顔もわからず、見えない敵と戦う恐怖があった。これでグループ内の上位二校に入ることができれば予選突破、つまり決勝進出が決まる。そのためには、強豪校の東雲大チームか筑紫大チームに打ち勝たなければならない。

わたしは腕組みをして、開始の合図を待った。

2

『はぁい、それじゃいきますよーッ！』

うめちゃんの声が響く。

小百合、涼子とお互いの顔を見合わせる。

三人でうなずき合った。

『ごぉ！　よん！　さん！　にぃ！　いぃち！　――予選ステージ開始ぃいッ！』

うめちゃんの合図が画面越しに響き渡る。

予選ステージの六問がオープンになった。問題Aから慎重に解いていく。

『100ミリリットルあたりAグラムの砂糖が入ったジュースがあります。このジュースBミリリットルには何グラムの砂糖が含まれるでしょうか？』

AとBは整数で、Bは100の倍数というのが制約条件だ。頭の中に比例式を展開させる。求める砂糖の量をCとすると $100 : A = B : C$ なので $C = A \times B \div 100$ だ。即座にソースコードを書き下す。

```
A, B = map(int, input().split())
C = A * B // 100
print(C)
```

すぐに提出し、《AC》。続く問題BとCも頭で考えるより先に体が反応し、直《ただ》ちに《AC》となる。ここまでで20分弱が経過。順調だった。

いったんコーヒーに口をつけ、そして問題Dへ。

「ん……」

気持ちを落ち着けて問題文を読み解きながら、頭の中でいくつもの丸同士が線で結ばれたイメージを展開する。N個の頂点からなるグラフに関する問題だった。合宿で類似問題を何問も解いたので、対処に迷うことはない。基本的な方針としてはパターンの調べ上げで問題ないはずだ。

ミスをしないよう、慎重にコーディングする。二つある入力例に対して想定どおりの解が得られた。一呼吸を置いて、念のために入力例以外のケースも試す。いずれも想定解と一致した。

――これは、いける。

手ごたえを感じていた。コードを提出すると、ジャッジが開始された。テストケースは二十四個。

……6/24 OK……8/24 OK……15/24 OK……

固唾《かたず》を呑んで見守る。

……18/24 OK……20/24 OK……24/24 OK.

《AC》

「よし……」

ノーミスで問題Dまで正解。順調なペースだった。時間はまだ70分以上残っている。

勢いに乗ったまま、問題Eにチャレンジ。

縦yマス、横xマスの格子上の迷路をマス（1, 1）から（x, y）まで移動する方法は何通りあるか、という問題だ。

瞬時に判断する。これは――動的計画法でいける。合宿で100本ノックをした経験が血肉となっているのがわかる。縦横斜めに移動できるという問題設定になっていて、繰り返し処理で解くことができそうだった。

——いける。やれる。

コーディングを始めた。入力値の受け取り、xとyで二重の繰り返し処理。動的計画法での解の更新部分は複雑で間違えやすいので、慎重に実装を重ねる。書き上げたソースコードは三十行ほど。三つある入力例が全てクリアしたことを確認し、提出した。テストケースは二十一個、ジャッジが始まった。両手を合わせる。

……3/21 OK……7/21 OK……11/21 OK……

「お願い……！」

……14/21 OK……18/21 OK……21/21 OK.

《AC》

「よぉし……！」

思わず小さくガッツポーズした。過去最高のパフォーマンスだ。入部当時や東京遠征の頃であれば解くのにもっと時間がかかっていたか、ペナルティを重ねていたかのいずれかだっただろう。成長を実感する。

残り時間、40分余り。小百合と涼子のほうを見ると、二人とも真剣な表情でノートパソコンに向き合い、キーボードを叩いていた。ここでいったん気を落ちつけるために、エクレアを一口頬張る。コーヒーで流し込んで、最後の問題Fへ。

X個のスイッチにつながったN台の照明のONとOFFを切り替えるとき、N台全ての照明をOFFにできるかどうか判定するという問題で、制約条件が非常に複雑だった。何度も問題文を読み返して考えるものの、解決の糸口が見つけられない。

『みなさん！　残り時間5分ですッ！』

うめちゃんの声が響く。

あっという間に時間が削《けず》られていくが、実装の方針が立てられないままでいた。

――ここまで、か。

『はいっ、しゅうりょおッ！　そこまでッ！』

ひときわ大きい声で、予選ステージの終了が告げられた。

部室内の空気が、ふっと緩んだ。

「だあぁあッ！」

涼子が椅子の背もたれにグッと寄りかかる。

「やりきったわね」

小百合も、さすがに疲れているような顔だった。

『それではみなさん、これから結果の集計に入りますので、少々お待ちください！』

うめちゃんのアナウンスとともに、大きな文字で《しばらくお待ちください》という画面に切り替わった。

「どうだったよ、諸君！」

悦子がにやにやしている。

「Eまで解けた！」

いえーい、と涼子はピースサインを突き出す。

「ペナルティ一個出しちゃったんやけどね。べえやんとお嬢は？」

「わたしも、Eまで解けた」

「あっ、べえやんも？　私もよ」

「まぁじで！　三人そろってEクリアやん！　――あれっ、てことはさ」

涼子がキョロキョロと、わたし、小百合、悦子の顔を見回す。

「あたしら、いけんじゃね……？」

『結果はっぴょおおぉ！』

再びうめちゃんの声が響き渡る。

『お待たせいたしました！　全チームの成績と順位が確定しました！』

わたしたちはホワイトボードに向き直った。

緊張の一瞬だ。

『ドキドキですね、胸キュンですね！　さぁ、それでは画面に映しますよぉ——結果はこちらッ！』

画面いっぱいに全グループの予選結果の一覧表が映し出された。


【グループ７】

一位	東雲大学	６３００点	284:12
二位	天神大学	４５００点	256:18
三位	筑紫大学	４５００点	258:34
四位	名古屋工科大学	４０００点	301:26
五位	都立文理大学	３５００点	278:44
六位	関西女学院大学	３５００点	314:52

まさか。

本当に、わたしたちが。

「よっ――」

涼子が勢いよく立ち上がる。

「――しゃあきたあぁあぁッ!」

「おおおおっ、やったじゃあん!」

悦子も叫ぶ。

小百合は無言で食い入るように画面を見つめていた。

「おじょお! やったばいッ! うちら予選突破やッ!」

小百合は信じられないというような顔で言葉を絞り出す。

「予選……とっ、ぱ? 決勝……いけるの……?」

「うちら、グループ二位や! ほらッ!」

涼子が画面を指さす。間違いなく、グループ7の二位には天神大の名前が挙げられていた。

「いよおおぉおし……!」

小百合は体を震わせ、ぼろぼろと涙を流す。

――予選、突破。

いざ達成してみると、あっけないような感じがして、まだ実感が湧《わ》かない。

当然、嬉しいことは嬉しい。

だけど、なんだか、まだ気持ちが追いつけていない。

わたしは腕組みをして画面を凝視《ぎょうし》していた。

そしてわたしは、決勝に進めることだけでなく、あることにも気づいていた——わたしは、決断しなければならない。

「早乙女大はッ⁉」

涼子が叫ぶ。

紗綾たち早乙女大チームはグループ２を二位で予選通過していた。

「早乙女大も二位よ！」

小百合の言葉に、涼子がガッツポーズをする。

「やったやん！」

そのとき、小百合のスマートフォンがデスクの上で振動した。紗綾からのビデオ通話の着信だった。

『みんな！　おめでとーッ！』

紗綾の大きな声がこだまする。その後ろではグェンが相変わらずの無表情で、遥香は大騒ぎしていた。

「さやちゃんたちも！　やったね！」

涼子が画面の向こうの紗綾に叫ぶ。

『ありがと！　みんなすごいね！』

『やったあぁ！　決勝だぁ！』

遥香の大声が響く。

「はるちゃん！　おめでとッ！」

『りょーちゃんたちもナイスファイトぉ！』

グループ2では、一位が関西中央大チームで5100点。二位の早乙女大チームは4500点で天神大チームと同点だった。しかし、数分差で早乙女大のほうが総正答時間は短かった。

またあとでね、と小百合はいったん通話を切る。

『参加者のみなさま、おつかれさまでしたぁ！』

放送画面が切り替わり、うめちゃんの顔のアップが映し出された。

『予選ステージの結果は公式サイトにも掲載しましたので、必要に応じてご確認ください。今後の予定ですが、決勝戦は十二月で、二日間にわたって行われます。初日の決勝プールステージでは、今回勝ち抜けた十六校がプールA、B、C、Dに四校ずつ分かれて対戦します。総当たり戦で、勝ち抜けはそれぞれ二校ずつです。二日目の決勝トーナメントでは、プールステージを勝ち抜けた八校で闘って、最後に勝ったチームが総合優勝となります！　細かいルールはまた改めて公式サイト上でアナウンスしますが、基本的には予選ステージとほぼ同じです。そして、じ、つ、は！　決勝プールステージの対戦カードも、すでに！　アベハルさんがリアルタイムでスクリプトを組んで決めちゃいました！』

画面奥の席で、アベハルさんがピースサインをしている。

『決勝進出のみなさん、心の準備はいいですか？　いきますよー、それではさっそく！　決勝プールステージの対戦カードの発表です！』

【プールA】
尾道《おのみち》大学
早乙女大学
京極大学
天神大学

以下、プールB、C、Dと続いた。

――早乙女大と同じプール。

なんという偶然なのか。

東京遠征のときのことが思い出される。

またあのときのように惨敗《ざんぱい》してしまうのか、それとも——今度は乗り越えられるのか。不安と期待が入り交じった複雑な気持ちになる。

「マジか……！」

涼子も同じように感じているのか、声が漏れる。

『はいっ、予選で当たっていない組み合わせになってると思います！　決勝の二日間は、昨年と同様に東京・秋葉原のアキバ・スクエアでの開催を予定してます！』

キュッ、と小百合は唇を引き結ぶ。

『いやぁ、今からもうドキドキワクワクですね！　さて、それではそろそろ放送終了となりますが、最後にアベハルさん！　一言お願いします！』

呼ばれて、アベハルさんは奥の席からうめちゃんの隣に移動する。

『参加者の皆さん、お疲れさまでした。惜しくも敗《やぶ》れたチームは、その悔しさをバネに一層精進してまた来年もチャレンジしていただければと思います。そして勝ち抜けた十六チームのみなさん、まずは決勝進出おめでとうございます。三か月後、今度はオンサイトでの真剣勝負となりますが、どのチームも優勝目指して頑張ってください。予選を勝ち進んだチームも、敗れたチームも、一番大事なことは競プロを楽しむこととお互いをリスペクトすることです。その精神を忘れずに、これからもアルゴコードで一緒に競プロを楽しんでいきましょう！　今日はみなさん、ご参加ありがとうございました！』

『はいっ、ありがとうございまーす！　決勝の日が近くなりましたらまた公式サイトのほうでアナウンスしますので、随時《ずいじ》チェックしてくださいね！　それでは！　第八回全国大学競プロ女子、最強王座決定戦！　予選ステージはこれにて終了となります！　ご参加いただいたみなさん、ご視聴いただいたみなさん、ありがとうございましたーッ！』

ばいばーい、とうめちゃんが手を振って、放送は終了した。時刻は午後五時になるところだった。

喜びに浸る小百合と涼子をよそに、わたしは逡巡《しゅんじゅん》していた。

「あっ、そういえば」

悦子が手元のノートパソコンを操作しながら話を切り出す。

「三人の成績なんだけどさぁ」

スクリーンに映し出されていた画面が切り替わり、個人成績が表示される。

愛奈　　１５００点　76:50
小百合　１５００点　86:47
涼子　　１５００点　92:41

「おおっ、すごッ！　べえやん、ぶっちぎりやん！」

「……そっか。そうだったわね」

小百合は気づいたのか、苦々しい表情になる。わたしが入部するときの条件を、彼女は思い出したようだった。

「今回はハンデなんてなかったし、私の……完敗だね」

「えっ？　あっ……」

涼子も気づいたように声を上げる。

悦子が眼鏡を持ち上げる。

「何なに、どったの？」

「私がべえやんを競プロ部に誘ったとき、約束したんです。ハンデなしで私に勝てるまでは競プロ部にいてくれる、って」

「ほうほう。で、今回、長谷部ちゃんはハンデなしで豊福ちゃんに勝っちゃったと」

「そういうことです。私としては正直、これからもずっとべえやんと一緒に、とは思ってますが……約束は約束ですので。べえやんの気持ち次第です」

わたしは腕組みをしたまま、ギィと椅子の背もたれに寄りかかった。

約束の上では、ここで競プロ部を辞めるという選択を取ることもできる。これまでの定期コンテストで、わたしはずっと小百合の成績を超えることはできなかった。やはり一年以上の経験の差は大きく、もとより優秀な小百合との差を詰めるのは容易ではなかったから。

でも、この予選ステージで小百合に勝てたとはいえ、得意な問題セットが偶然出ただけなのでは、ということもある。実際に、アルゴコードのレート自体はまだまだ小百合に追いつけていない。もしここで辞《や》めたら、と考えると、そこはかとない違和感を胸の奥に覚えるのもまた事実だ。

「べえやんッ！」

叫んで、涼子が勢いよく立ち上がる。

「辞めるとか、そんなんイヤやッ！　せっかくみんなで予選突破したのに！　ここでいなくなっちゃうとか、ありえんやろッ！」

当初の目標である、決勝進出は果たした。弱小どころか全国的に全くといっていいほど知名度のなかった天神大が予選突破したというだけでも、十分な成果だろう。

ふと、中学校時代のことが頭をよぎる。

上級生たちから嫌がらせを受け続けても、同級生たちは誰も助けてくれなかった。それまではあんなに仲が良いと思っていたのに、上級生たちには逆《さか》らえなかったのか、いざというときはみんな見て見ぬふりをした。

　わたしは部のために、みんなのために全力を尽くしていたつもりだったけれど……みんなは望んでいなかったのだ。そのことが態度から、行動から伝わってきて、奈落《ならく》の底に叩き落されるような気持ちを味わった。

　でも――。

　いつも冷静に考えて、競プロ部を生まれ変わらせるべく強さを追求する小百合。たまにふざけるところもあるけれど、競プロには前向きでひたむきな涼子。遠征試合も合宿も一緒に乗り越えて、予選も突破できて、決勝でもいいところまで闘える気がする。ずっと一緒に、競プロで高みを目指していける。

　二人とならきっと――一緒に成し遂《と》げられる。

　わたしは腹を決める。

「優勝を目指そう」

　小百合と涼子に向かって告げた。

「えっ……？」

　涼子が小さく声を漏らす。

　こちらに顔を向けたままだ。

「落ち着いて、りょーちゃん。わたし、競プロ部を辞めるなんて言ってないよ？」

「えっ、だって……」

「今回はハンデなしで勝てたけど、たまたまかもだし。それに、お嬢にはまだレートで勝ってないしね」

「べえやん……競プロ部、続けてくれるの？」

わたしに向かって問う小百合からは、努めて平静を保とうとする様子がうかがえた。

わたしの答えは一つだ。

「もちろん。三人で一緒に優勝しよう」

小百合は、微笑んだ。

「……ありがとう、べえやん」

「もぉーッ！　なんなんもう！」

涼子が叫ぶ。

「いっつもクールにおすましよってからに！　はじめっから素直に、一緒にやってくって言ってくれたらええやん！」

「いやりょーちゃん、だからわたしは――」

「べえやんのいけず！　ばかちん！」

「りょーちゃん」

小百合が立ち上がって、涼子を諭す。

「べえやんだって本当は私たちのことを大事に思ってるんだけど、基本的にいつも口数少ないキャラで通ってるし、クールなフリして実はただ単に照れ屋さんなだけなの。そういうキャラ設定だから、ね？」

「うん……まあ、そういうことなら……」

「ちょっと待ってお嬢、キャラとか設定とか言わないで。ていうか、それはそれでめちゃくちゃ恥ずかしいんだけど」

「さて、それはおいといて」

「ええっ！　スルーされたし！」

「ちょっと、もう一度見ておきましょう」

小百合は悦子に目配せをする。すぐに悦子はノートパソコンを操作し、決勝プールステージの組み合わせを映し出した。

「早乙女大、京極大、尾道大……当たり前だけど、どこも強豪《きょうごう》ばかりね」

「せやね。さやちゃんたちと当たるんかぁ……」

「たしか京極大は過去に三回、優勝してるわね」

「マジか……」

涼子は口元に手を当てて、考え込むようにした。

悦子は予選ステージの結果ページを表示させる。京極大チームはグループ1の一位、尾道大チームはグループ3の二位だった。総得点は京極大が6300点、尾道大が4

だった。

500点。特に京極大は、全体トップの東雲大チームに次ぐ全体二位。圧倒的な実力

「ハンパなかね……京極大」

そう言って、涼子は顔をしかめる。6300点ということは、問題Fまで三人とも完答しているということだ。

「決勝プールステージって、どんな感じでやるんやったっけ？」

涼子が小百合に訊ねる。

「前回大会では各プールで四校総当たりだったんだけど、対戦は一対一だったわ」

「一対一なん？」

「そう。先鋒《せんぽう》、中堅、大将同士が闘うの。それで、それぞれ40分一本勝負なんだけど、先に《AC》したほうが勝ちで、40分以内にどちらも《AC》できなかったらペナルティが少ないほうの勝ち。ペナルティ数が一緒の場合は引き分けね」

「あーね、そういうやり方なんや」

「それで、ここからがちょっと複雑なんだけど、もし三人とも引き分けだった場合は、三人のペナルティ数の合計が少ないほうの勝ちで、同数だった場合は両チームから一人を決めて代表戦なの。代表戦に勝った時点で、そのチームの勝ち。それも引き分けだったらペナルティ数の少ないほうが勝ち、同数の場合は代表戦の二試合目、三試合

目までやるわけね」

「なんや、ややこしくなってきたばい……」

「三人とも引き分けじゃなくて一勝一敗一分の場合は、一勝した人同士の正答時間が短いほうが勝ちで、同じ時間の場合はペナルティ数が少ないほう、それも同じ場合は三人のペナルティ数の合計が少ないほうの勝ち。で、さらに同数だったら三人とも引き分けの場合と同じで代表戦ね」

「それってさ、あんまりないかもだけど……もし代表戦も三試合とも引き分けになったとしたら、どうなっちゃうの？」

気になって訊いてみることにした。

「そうね、代表戦が三試合とも引き分けになるっていうのはちょっと考えにくいことだけど……その場合は、代表戦での三人のペナルティ数の合計が少ないチームが勝ちで、それでも決まらないときはその試合そのものが引き分けになるわ。プールステージでの勝ち点は、試合に勝てば三点、引き分けで一点、負けると得点なし。勝ち点の合計が高い二校がプールステージを勝ち抜けるの。同一プール内の全試合が終了した時点で、勝ち抜ける二校が決まらなかった場合なんだけど」

小百合は一度、言葉を区切る。

「もしチームごとの正答時間の短さやペナルティ数の少なさでも決まらなかったら、

勝ち抜け候補校の中から抽選で決まるらしいわ」

「……抽選、か」

ふう、とわたしは息をつく。

「普通はなかなか起きないことだと思うし、これまでの大会でもプールステージの勝者が抽選で決まったなんてことは、少なくとも私は聞いたことがないけどね。でも、ルール上は一応そうなってるみたい」

「何かしら定めとかんと、ちゃんと勝敗がつかんわけやね」

そう言って、涼子は頭の後ろで両手を組む。

「そういうことね。あと、それとは別の話なんだけど……」

小百合は少し考える。

「どしたん？」

涼子が訊ねると、小百合は神妙な面持《おもも》ちで答えた。

「試合が始まるまで、お互いに誰が先鋒、中堅、大将なのかわからないのよ。試合ごとにオーダーを変えることもできるし。だから、誰がどのポジションにつくかも重要になってくるの」

「対戦の組み合わせによっては、勝敗がどうなるかわからんってことかいね？」

「そういうことね。だから、純粋に実力だけじゃなくて戦略も重要になると思うわ」

ふおお、と涼子が口にする。

「戦略とか、なんかえらいことになってきたっちゃね……」

「へい、ガールズ！　そんなときのためにわたしがいるんでしょーが！」

ガタン、と悦子が立ち上がる。

「どーんと泥船に乗ったつもりでいればいいさぁ！」

「いやえっちゃん、それ沈むヤツや」

「細かいことはいいのよ！　ほらみんな、行くよ！」

「えっ、どこ行くと？」

「決まってんでしょ、祝勝会よ！　祝勝会といえば、焼き肉でしょーが！　今日はわたしのおごりさぁ！」

「いいんですか？」

小百合が笑顔で言う。

「いいも何も、どんどん食べれ！　決勝本番に備えていっぱい蓄《たくわ》えればいいさぁ！」

涼子が眉をハの字にする。

「えっちゃん、だから体重が……」

「体重とか気にすんなって言ってんでしょーよ、育ちざかりが！　島流しにするわよ！」

「タスケテーっ！」

あははっ、と全員の笑い声が部室内にこだまする。

――これからも小百合と、涼子と。

笑い合って、支え合って。

全国大会の決勝でも勝ちたい。

一緒に、強くなりたい。

秋の気配が日に日に濃くなる時節だった。

3

予選ステージから二週間が経ったある日、わたしは涼子とともに小百合のマンションを訪れていた。平日の午後なのでコンテストは開かれていないが、三か月後の決勝に向けて対策を考えようという小百合の提案だった。リビングのテーブルで、三人で向かい合って話す。

「やっぱり、基本的な戦略は勝ちを狙いにいくよりも、負けないことだと思うのよね」

小百合がわたしと涼子の顔を交互に見て続ける。

「40分一本勝負だから、問題の難易度とかも考えると、実際のところはお互いに《A

C》できずにタイムアップになることもあると思うの。そうなると引き分けなんだけど、もし無理に勝ちを狙いにいってペナルティを出してタイムアップになったら、負けになっちゃうんだよね。相手も同じ数だけペナルティ出せば結局引き分けになるけど、もしこちらが先にペナルティ出しちゃったら、たぶん相手は無理に《AC》を狙わないと思う」

「それは、逆の立場でも同じじってことかいね？」

涼子が腕組みをして訊く。

「相手が先にペナルティ出した場合は、そうね。よほど《AC》の自信がない限りサブミット、つまりソースコードを提出するのは控《ひか》えて、そのままタイムアップになれば勝てるから」

「せやけどさ、それでこっちが見送りにしようとしても、もし相手が時間内に《AC》したらこっちの負けってことやろ？」

「それも、そう。相手がペナルティを出して、こちらが何もせずにタイムアップを狙っても、相手がソースコードを組み直して先に《AC》してしまえば今度はこちらの負け。そこが難しいのよね」

うーん、と涼子は天井を見上げる。

予選ステージの結果から、他の決勝進出校との実力差が気になっていたことも判断を難しくさせていた。レート的に自チームの実力のほうが上だと思われる場合には《AC》を狙いにいく機運《きうん》も高まる。しかし、実力が下である場合には、下手《へた》に焦るとペナルティを出す可能性が高く、仮に相手がペナルティを出した場合でも時間内に《AC》を先取りされる可能性が高いと予想された。いずれにしても、厳しい勝負となることには変わらないし、難しい判断の連続になることは想像に難くなかった。

決勝プールステージでは、尾道大とはなんとか闘えそうだが、京極大と早乙女大、特に京極大とは苦戦を強いられることになるだろう。予選では京極大の三人ともが完答し、正答時間でも圧倒的な短さだった。実力差をまざまざと見せられて、それをひっくり返して勝ちをもぎ取るのは容易ではない。

「ひとまず、あと三か月でできることをやるしかないわね」

小百合は少しだけ険しい表情で言う。自分自身に言い聞かせているようだった。涼子は神妙《しんみょう》な面持ちでうなずく。

――やれることをやるしかない。

それは、そのとおりだ。

ここまでくれば、いずれのチームも強豪揃いなので、小手先の対処はさほど意味もないし効果も薄いだろう。

純粋に、少しでも実力を向上させることが遠回りのようで近道に違いない。

小百合のスマートフォンがテーブルの上で振動した。小百合は通話ボタンを押し、スピーカーモードに切り替える。

『あっ、小百合ちゃん？　今、大丈夫かな？』

聞き慣れた声が響く。紗綾だった。

「うん、どうしたの？」

『あのさ、ちょっとお誘いがありまして』

わたしは小百合、涼子と顔を見合わせる。

何かあったの、と小百合は訊ねた。

『実はさ、交流試合の話が出てるんだけど、天神大のみんなもどうかなって』

「交流試合？」

涼子が訊く。

『あっ、涼子ちゃんもいるの？　もしかして愛奈ちゃんも？』

「うん、わたしもいるよ」

『そっかそっか、それなら話は早いね。それで、来月なんだけど、決勝進出したチーム同士で前哨戦《ぜんしょうせん》じゃないけど非公式のバーチャルコンテストやったら面白いかもなって思って』

「そうなのね、どこのチームが参加するとか決まってるの？」

『今のところ、文京女子大だね。あとは京極大』

わたしは再び小百合、涼子と無言で顔を見合わせた。

『他にも参加するだろうから、もう少し増えるかもね。どうする？　といっても、そんなすぐには決められないか。まあ、まだ時間はあるしね。非公式の交流試合だし、バーチャルコンテストだからどこかに物理的に集まる必要もないし。もしよければぜひってことで』

「うん、ちょっと三人で相談してまた返事するね」

『はーい、急にごめんね』

「ううん、ありがとう」

それじゃね、と紗綾の声がして、通話は切れた。

「交流試合、か……」

小百合は思案顔をする。

「しかも、京極大も参戦するんやね」

涼子は表情に陰《かげ》りを見せる。

「そうね。非公式の試合だし、無理に参加する必要はないけど……」

無言。

三人で、一様に神妙な顔つきとなる。

おそらく考えていることは、小百合も凉子も同じだろう。

決勝進出校だけで交流試合ができるというのは、それ自体が珍しい機会だし、決勝本番まえの顔合わせという意味でも意義のあるものだというのはわかる。

しかし、どうにも気になっているのは、他校との実力差だ。特に京極大や東雲大といった上位校との開きは大きく、決勝まで三か月を切ったこのタイミングで決定的に惨敗するようなことになれば、少なからず自信を失ってしまい、メンタル面で本番まで影響するかもしれない。

いずれを優先させるか。

「やってみよう」

沈黙を破《やぶ》り、わたしは切り出した。

「せっかくのお誘いだし、経験を重ねる意味も込めて」

小百合と凉子は顔を見合わせる。そして凉子は腕組みしたまま、

「やるか」

とつぶやいた。

「どこまでやれるかわからんけど、とりあえずやってみようかいね」

そうは言うものの、凉子は依然として険《けわ》しい表情のままだった。

——何事も、やってみないとわからない。

どのみち本番では強豪たちとぶつかり合うことになるので、どのような結果になってもうまくプラスに捉えられるよう、自分たちをコントロールするしかない。

「わかったわ。やりましょうか」

小百合もそう言って、わたしと涼子の顔を見た。

「そしたら、うちも参加ってことでさやちゃんに伝えるね」

小百合はスマートフォンで、紗綾へメッセージを送る。すぐに返信がきたようで、詳細は後日伝えるとのことだった。

「雨、か」

窓の外を見ながら涼子がつぶやく。

先ほどまで晴れていたのが一変し、リビングの窓ガラスに幾筋《いくすじ》もの雨跡がつき始めていた。

第七章　試練の向こう側

1

一位　東雲大学　　６３００点　287:12
二位　京極大学　　６３００点　289:18
三位　東京理工大学　５７００点　291:34
四位　早乙女大学　５１００点　272:26
五位　文京女子大学　５１００点　288:44
六位　天神大学　　４６００点　284:52

——こんなにも。
こんなにも、実力差があるのか。

眉根に力が入ってしまう。

小百合と涼子も険しい表情を浮かべていた。

わたしが１５００点、小百合が２１００点、涼子が１０００点。アルゴコードの参加者全体で考えれば決して低い得点ではない。だけど、全国大会の決勝レベルとしてはまだまだだということを自覚させられる。

さすがに決勝進出するだけあってどのチームも高得点ではあるけれど、だからこそここまでくると点数差を埋めることは相当難しい。特に東雲大チームと京極大チームは圧巻で、全員完答している。地力の違いを見せつけられた格好になった。

特に京極大チームは、試合開始まえこそ三人でゲームをして騒《さわ》ぎ立てて、ルール説明など聞いているのかどうかわからないような不遜《ふそん》な態度だったが、いざ対戦となると圧倒的な結果を残している。正直、彼女たちの不真面目な姿勢にムッとしたことはたしかだけれど、その実力は本物だと認めざるを得ない。

『みなさんおつかれさまでした。今回の交流試合でそれぞれいろんな気づきとか反省点とかあったと思うので、決勝本番まであと二か月、お互いに精進していきましょう。もしチーム間で個別に交流したいとかあれば、私のほうで取り次ぎますので。今日は集まっていただいてありがとうございました。これで解散になります』

紗綾の声で各チームは、ありがとうございましたー、と三々五々にオンライン会議から抜けていく。小百合もノートパソコンを操作し、画面を閉じた。

しばらく会話はなく、時間が流れる。

そして、小百合がつぶやいた。

「がんばらないとね」

沈黙。

壁に掛けられた時計の針の動く音が聞こえる。

「強いね、やっぱり」

何か話さないと、と思い、わたしは腕組みをしながら言った。

「そうね、さすがに強豪校ばっかり」

小百合は、ふう、とため息をついた。

「特に、東雲大と京極大はすごいわね」

「そだね。予選のときと一緒で、全員完答か」

「うん、ちょっとあれは……」

「無理やろ」

涼子が小さく声を漏らす。苦々しい顔をしていた。

わたしは、小百合と顔を合わせる。が、何も言葉が思い浮かんでこない。非公式の
バーチャルコンテストなのでレートに影響するわけではないし、決勝での成績に関係

するわけでもない。しかし、感じていることは小百合も、そして凉子も同じだろう。

——壁が、高い。

しかも、壁は一枚や二枚じゃない。

改めて圧倒的な強さを目の当たりにして、これからどうすれば、という言葉ばかりが頭をよぎる。

「あたし、帰るね」

ぽそりとつぶやき、凉子は席を立つ。いつもの陽気がどこかにいってしまったような、そんな顔つきのまま彼女は荷物を片付けてリビングから立ち去った。

わたしは座ったまま、特に何かを話すでもなくノートパソコンを片付け始める。交流試合の結果については心残りではあるけれど、それはそれとして大学の講義の課題も積み重なっているし、進度の速い講義の予習と復習もしなければならなかった。

「それじゃ、わたしも」

そう言ってゆっくり立ち上がると「待って」と小百合から呼び止められた。

「送っていくわ。ほんとはりょーちゃんも……仕方ないわね。らいちゃん、ふうちゃん」

小百合の呼び声に反応して、ライカとフウカがリビングに現れる。そしてわたしは帰り支度をし、小百合の自宅をあとにした。

ライカとフウカの後ろについて歩き、マンション地下の駐車場へ。黒塗りのロングワゴンの運転席にライカが乗り込み、フウカが後部座席のドアを開ける。わたしが後部座席に入ったのを見届けて、フウカも助手席に乗り込んだ。そしてライカは車を走らせる。

――才能。

ふと思い浮かんだ才能という言葉に、夏合宿のときを思い出す。物事の突き抜けた成功のためには努力だけでなく才能も必要だということ。そして京極大の三人が思い浮かぶ。交流試合そっちのけでゲームに興《きょう》じていたり、気だるそうな様子で欠伸《あくび》をしていたり。三人とも競プロに対して真摯《しんし》に向き合っているようにはお世辞《せじ》にも見えなかったが、間違いなく強い。彼女たちがどれほど努力しているのか、実際のところはわからないけれど、少なくとも才能には恵まれているのだろう。そしてそれは、京極大だけでなく、他の強豪校のプレイヤーたちもきっとそうなのだ。

自分自身に才能があるのかどうかは、正直なところよくわからない。数学については適性があるとは思っているけれど、競プロという観点ではいまだに不明だ。まだ努力が足りていない証拠なのだろうか。もっと精進を重ねることで、見えてくるものがあるのだろうか。

小百合や涼子はどうなのだろう。小百合の場合はきっと才能にも恵まれているし、相当な努力も重ねてきたであろうことが想像できる。圧倒的な鍛錬《たんれん》に裏打ちされた確かな自信を、小百合からはいつも感じるからだ。小百合にとっては、学業でもそうだろうし、競プロでもそうなのだろう。だからこそ彼女は、同じくらいの水準の素質や能力、努力といったものを、おそらく無意識のうちに他の人にも要求しているように見える。

涼子は涼子でプログラミングが得意だし、数学についても理解力が高く、才能はきっと備わっている。ただ、わたしと同じく競プロを始めたのがこの春からなので、半年ほどの努力量でしかない。才能を開花させるにはまだまだ不十分なのかもしれなかった。彼女はどことなく気落ちしていた様子だったけれど、なんとかプラスの方向に捉えて精進を重ねる他にないだろう。

競プロでは、秀《ひい》でた者が勝つ。それだけ。競プロに限らないかもしれないが、何かを競うということは、そういうことだ。

車がゆっくりと止まる。

「着きました」

ライカから告げられる。彼女はフウカとともに車から降りて、後部座席のほうへ回り込んできた。

わたしがドアを開けると、

「ありがとうございました」

とライカが言って、二人は恭《うやうや》しく頭を下げてきた。少しだけ面食らう。

「や、お礼を言うのはこっちのほうで。いつも遅くまですみません」

「いえ、お気になさらず。それよりも、お嬢のこと、本当に感謝しています」

ライカが答える。

「お嬢のこと？」

ライカは優しく微笑み、うなずいた。

「お嬢が部活をやっておられて、毎日楽しそうなご様子なのは、愛奈さんと涼子さんのおかげです」

「そうなんですか？　でも、お嬢は一年以上まえから競プロやってたんですよね」

「はい。ですが、今ほど楽しそうな感じではなく、いつもどこか……苛立《いらだ》っているようなご様子でした」

小百合と、まえに在籍していた四年生たちとの、競プロへの姿勢の違い。

何事も本気で取り組む小百合との、その温度差。

「お嬢は、周りとの違いにずっと悩んでこられました。ずば抜けた優秀さゆえに学校ではどうしても周囲から浮いてしまい、孤立《こりつ》することが多かったのです」

ライカの隣に立つフウカの視線が、普段よりも少しだけ柔らかいものに感じた。

ライカは続ける。

「私とフウカは、お嬢が中学生になるタイミングで、知人の伝手《つて》で豊福家のメイドとして雇われました。当時、私とフウカは成人したばかりで、いつもお忙しくてご自宅におられない父上と母上の代わりにお嬢のお世話をしてきたのですが……お嬢は、学校から戻られてはどこかイライラしたご様子で、ときには同級生への不満を漏らすこともありました」

ライカはためらうように言葉を区切る。

「高校生になる頃にはそれもほとんどなくなりましたが、もしかしたら周りへ期待することを半ば諦《あきら》めていたからなのかもしれません。天神大の医学部にご入学されてから、お嬢は勧誘を受けて始めた競プロというものにずいぶんとご執心《しゅうしん》でしたが……周りとの関係は変わらずのようでして。それが、この春から愛奈さん、涼子さんとご一緒するようになられてからは、お嬢の雰囲気がだんだんと明るくなっていったのです」

ライカの言葉に、フウカも深くうなずく。

「以前よりも笑うことが多くなりましたし、本当に……まるで生まれ変わったような感じで」

——生まれ変わらせたい。

わたしの入部を賭けた対戦での、小百合の言葉だ。彼女はあのとき、わたしに向かってはっきりとした言葉を向けてきた。競プロ部のことを生まれ変わらせたいのだとわたしは思っていたし、おそらく彼女もそのつもりで言ったのだろう。

でも、本当に生まれ変わらせたいのは彼女自身のことだったのではないだろうか。

そして、夏合宿のとき。小百合はわたしに、春頃より楽しそうに見えると話していた。でも実は、彼女自身もそうだったのかもしれない。心からわかり合える仲間を求めていたのは、幼少期から孤独を感じてきた彼女のほうだったのかもしれなかった。

今、小百合の気持ちの奥底をのぞいたような気がした。

気づいたように「申し訳ございません」とライカは頭を下げた。

「喋《しゃべ》りすぎてしまいました。お嬢には、どうかご内密に」

「もちろんです」

ありがとうございました、と告げて、わたしはその場を立ち去る。振り向くと、ライカとフウカがわたしのほうへ何度も頭を下げているのが見えた。

マンションの自室へ戻ったときには、日付が変わろうとする時刻だった。ずいぶんと疲れてしまい、荷物を置いて手早く着替えると、そのままぐにベッドで寝転がった。目を閉じると、小百合と涼子の顔が思い浮かび、ライカとフウカの姿も頭をよぎった。そして、入り乱れるコードの羅列《られつ》と、緑色の《AC》。よみがえってくる、正解したときの喜び。

でも――。

勝ちたい、強くなりたいという気持ちで懸命に努力しても、それがいつも報《むく》われるわけではない。誰かと勝ち負けを競う以上、競プロにしてもそれは同じことだ。

自分の気持ちのやり場に迷う。

「やれやれ……」

そしてわたしは、いつの間にか眠りについた。

2

交流試合から二週間が経って、わたしたち三人は講義の忙しさが日に日に増していた。部室に集まる時間も次第に減ってきて、ほぼ毎日顔を合わせていたのが一日、また一日と間が空いていく。十月末には週に二、三回集まれば多いほうだった。週末に開かれる定期コンテストにも、参加したりしなかったり、だんだんと競プロへの熱量が失われてきていた。

自分の中でも、当初の目標だった決勝進出は達成できたし、という気持ちと、決勝ではどうせ勝てないかも、という気持ちが芽生え始めていた。そんな気持ちがよぎるたびに、そんなことではいけない、と自分に言い聞かせるような日々だった。

部室に集まっても、どこか盛り上がりに欠ける。誰も言葉には出さないけれど、諦めに似た空気を小百合も涼子も感じ取っていたのかもしれない。

「おつー」

わたしが部室に着いたタイミングで、涼子も入ってきた。

「おつかれさま。今週末のコンテストなんだけどさ」

小百合がわたしと涼子に向かって訊く。

「いつもどおり参加でいいかな」

あー、と涼子はよそのほうを向いて答える。

「あたし、ごめんけどパスで」

「え？」

「ちょっと用事あって。ごめん」

「そっか……わかった」

その瞬間、わたしはわずかな綻《ほころ》びを感じた。

得体の知れないモヤモヤが胸の内に広がる。

スマートフォンに着信のあった涼子が「もしもーし」と部室を出ていった。

「なんかさ」

小百合の消え入りそうな声が宙に浮かぶ。

「このままだと、私たち――」

彼女は、言葉を区切った。

「はいはーい、じゃあねー」

涼子が部屋に戻ってくる。彼女は通話を切って、上着のポケットにスマートフォンをしまった。

「あれ？　どしたん？」

涼子を見る小百合は、何も答えなかった。

わたしも、返す言葉が出てこない。

「変なの。ごめん、あたしちょっと行かなきゃだからさ」

じゃねー、と涼子が荷物を抱えて出ていくところを、

「待って」

と小百合が引きとめた。

「……なに？」

涼子は怪訝《けげん》な面持ちを小百合に向ける。

小百合は、二重まぶたの両目に力を込めた。

「このままでいいの？」

「いいの、って？」

「本当に言ってるの？　あと二か月ないんだよ？」

「……そうやね」

「もっと精進しないと、決勝で――」

「もうさ」

小百合の言葉をさえぎるように言って、涼子は肩にかけた荷物をデスクに置く。

「もうええんやないと？」

「え……？」

「もともとさ、目標は決勝に進むことだったやん。で、それ、達成したやろ」

「それは」

そうだけど、と小百合は力なく答える。

「できれば決勝プールステージも勝って、トーナメントに進んで、とは思うけどさ。お嬢も予選の結果、見たやろ？　こないだの交流試合もさ」

予選結果の一覧表、そして交流試合の結果を思い浮かべる。涼子の言わんとしていることは理解していた。

「勝てんやろ、どう考えても。あんだけ差ぁつけられてて」

同じプールの京極大とは予選で１２００点、交流試合で１７００点の差をつけられている。総正答時間でも差は歴然としていた。ハイレベルになればなるほど、それだけの差を埋めることがいかに至難《しなん》の業《わざ》であるか身をもって理解しているし、それは小百合も涼子も同じはずだ。

「そうだけどさ、そこはもっと精進して、戦略も立てて――」

「これ以上はムリやろッ」

涼子が声を荒らげる。

「あたしだってそう思ってたけどさ、実際、ムリやろ。合宿でもゲロ吐くまで競プロ漬けになって、死ぬ気でレート上げてッ。必死で予選通過して、それでもこんだけ差がついとるんよ。これ以上どうしろっていうんよッ！」

言葉が出ない。

合宿中にやつれていた涼子の姿が頭をよぎる。彼女は、決して手を抜いたり妥協《だきょう》したりなどはしていなかった。その甲斐あってレートもグンと伸びてランクも上がり、予選突破できるところまで上達した。競プロを始めて半年ほどでここまできただけでも、通常であればかなり優秀な部類に入るはずだ。それでも、上位陣との歴然とした実力差。それはわたしも痛感していることだった。

「……しばらく部活休むよ」

言い残して、涼子は部室を出ていった。

「やっほー。なんか井手上ちゃんがムスッとした顔してたけど、どったの？」

入れ替わりで悦子がコンビニのレジ袋を持って部室に入ってきた。彼女は空気を感じ取ったのか「まあまあ」と袋から肉まんを取り出し、わたしと小百合に手渡してくる。

「とりあえず、食べよ」

「えっちゃん」

肉まんを握りしめたまま小百合が言う。

「ん？」

「私たち……無理なんですかね、もう」

小百合の頬を伝う、涙。

「豊福ちゃん……」

悦子は彼女を見つめる。

――わたしが、言わなきゃ。

「ねえ、お嬢」

「なに……？」

「ちょっと休もっか、わたしたち」

えっちゃん、と悦子に言葉を向ける。

「休むことも精進のうち、でしょ？」

「……それはまあ、そうだけどね」

悦子は眼鏡を持ち上げる。

わたしは小百合のほうに向き直って、続けた。

「だからさ、少しの間、部活はお休み。もちろん、いつものコンテストに参加したり問題解いたりは各自の自由だけど。ね？」

小百合はわたしの目をじっと見据えて、唇をきつく引き結ぶ。

そして彼女は、ゆっくりとうなずいた。

「今日は、わたしも引きあげるね」

それじゃまた、と荷物を持ってわたしは部室をあとにした。


しばらく移動して、キャンパス内の休憩所に入った。自動販売機でエナジードリンクを買い、プシュッと蓋を開ける。一口飲むと、口の中に微炭酸が広がった。薄っぺらい缶をペコペコと弄《もてあそ》ぶ。

──壁が高く、分厚く、何枚もそびえている。

自分自身のレベルアップに意識を向けて競プロに打ち込み、弱点も克服してきた。その甲斐あって、予選ステージ突破という快挙《かいきょ》も三人で成し遂げた。凉子の言うように、当初の目標は達成したことになる。

──これ以上は、無理。

涼子の言葉が頭の中でリフレインする。ひと山ふた山越えられたと思ったらその先にはエベレストがいくつもありました、というような感覚。そんなのは無理だというのは、そのとおりだ。

一方で、小百合の気持ちも察することができた。このまま諦めてしまうのは悔しいし、しっぽを巻いて逃げるようでうしろめたい。このままでは終われない。そんな、暗闇の中で一筋の光を見つけ出そうともがくような気持ち。

――小百合と涼子のために、自分が今できることは何か。

自分だけのためではなく、彼女たちのために、仲間のためにできること。

わたしには今、一体何ができるのだろうか。

答えは出ない。

エナジードリンクの缶をゴミ箱に投げ捨てて、わたしは地下鉄の駅に向かった。

さらに一週間が経って、土曜日。

普段であれば涼子と一緒に小百合の自宅に集まり、夜の定期コンテストに参加しているが、この日は三人で集合しなかった。わたしはマンションの自室にいて、一人でコンテストに出る気にはなれず、早い時間にベッドへ入った。

目を閉じると、春からの出来事が思い浮かぶ。小百合と涼子との出会い、初めてのコンテスト参加、悦子の顧問入り。東京への遠征試合と、早乙女大チームとの出会い。壱岐での夏合宿。あのときは本当に、かつてないほどの地獄を味わった。そして、予選ステージの突破。三人で力を合わせて、強豪校を超えることができた。

その反面、交流試合ではボロ負けし、実力の違いをはっきりと意識させられた。

でも、高いハードルも、さらなる強豪も、三人だったらきっと乗り越えられる。

おぼろげにそう信じていた。

涼子の言うように、当初の目標だった決勝進出は達成できた。

三人でつかんだ、決勝進出。

一度は手にしたと思っていた大切なものを、このまま失ってしまうのか。

わたしはまた、独《ひと》りになってしまうのか。

3

日曜日。

寝ている間に小百合から会いたいという連絡が入っていて、西新へと向かった。何度となく通った、地下鉄西新駅からマンションまでの道のり。この日はどこか、いつもと違った道のようだった。

マンションのエントランスで小百合の部屋番号を入力し、インターフォンを鳴らす。はぁい、とライカの声が響く。わたしが名乗ると、すぐにエントランスの自動ドアが開いた。最上階の一番奥、何度も通った廊下。ドアのインターフォンを鳴らすと、返事もなくドアが開く。にこにことしたライカの顔が現れた。

「どうぞぉ」

ライカに通されてリビングへ入ると、小百合はソファに座って本を読んでいた。生理学のテキストらしい。わたしの姿に気づき、小百合は本を置いて立ち上がる。そして二人で奥のテーブルへ。

定期コンテストに参加するときにいつも使うテーブル。座る位置も決まっていて、わたしと涼子が横並びに座り、わたしの正面に小百合が座る。部室でのデスクの並びと一緒だった。

すぐにフウカがコーヒーを持ってきてくれる。わたしと小百合の前にカップを置くと、彼女は一礼してキッチンのほうへと戻っていった。

静寂。

言葉があふれそうで出てこない、そんな感覚を抱《いだ》く。

やがて、小百合が口を開いた。

「べえやんさ」

小百合はコーヒーカップを持ち上げて、訊ねてくる。

「まだやってる？　……競プロ」

彼女は一瞬、言い淀《よど》んだ。

うん、とわたしは答える。

「やってるよ。今さらゲームとかで遊ぶ気にはなれないし」

「そっか」

壁に掛けられたレトロなタッチの絵画に小百合は目をやる。いつになく真剣な表情だった。

「私、考えたんだけど……競プロ部はもう解散でもいいのかもしれない」

突然の言葉に、わたしは思わず腰を浮かせる。

「念願の決勝進出は達成できたんだもの。りょーちゃんの言ってたとおり、もう十分なのかもしれない」

「お、」

じょお、とだけ言うのが精いっぱいで、言葉を続けられなかった。

「べえやんとりょーちゃんが一緒なら絶対強くなれるって思ってたけど……私の一人よがりだったのかな」

小百合の声が震えていた。

彼女は、カップを置いて窓の外を見やる。

「待ってお嬢、たしかにちょっと休もうって言ったけど、わたしは――」

そのとき、テーブルの上で小百合のスマートフォンが振動した。悦子からの着信だ。

小百合が通話ボタンを押してスピーカーモードにすると、悦子の声が響いた。

『はろー、豊福ちゃん』

「どうも」

『急でごめんなんだけど、このあとさぁ、空いてるかな?』

小百合は一瞬、わたしの顔を見る。

察して、わたしはうなずいた。

「ええ、大丈夫ですけど」

『おっ、ありがとー! 長谷部ちゃんと井手上ちゃんも呼びたいんだよねぇ』

「べえやんなら今、一緒にいますよ」

『そうなんだ、話が早い! そしたら、このあと午後二時に部室集合ね! ちゃお!』

ブツッ、と通話が切れる。

「いきなりね」

困ったような笑顔を小百合から向けられる。

「はは……えっちゃんらしいね」

それから、ライカとフウカの運転する車で小百合とともに部室へ向かった。

休日のキャンパスは、運動部がグラウンドで活動している以外には人の気配がほとんどなかった。ライカとフウカは、わたしと小百合を降ろすとそのままマンションへ戻っていった。

小百合と一緒に部室へ向かう。涼子と悦子がすでに来ているようで、ドアの鍵が開いていた。

「お、来たきた」

部室内に入ると、悦子がアニメキャラのプリントされた白いTシャツに黒いカーディガンという姿で、畳の上に座っていた。そして、いつものデスクには気まずそうな涼子の顔があった。

「まあまあ、座りたまえ」

言って、悦子はわたしと小百合に促す。

席に着くと、悦子はホワイトボードの前に立った。

「さて、揃ったね。それではさっそく、わたしからきっかけを与えます」

「……きっかけ？　なんの？」

涼子が訊く。

ふむ、と一つうなずいて、悦子は続けた。

「君たちに、ケリをつけてもらおうと思ってね」

マーカーペンを手に取り、悦子はホワイトボードに大きく《雪月花》と書いた。

わたしは腕組みをして、その三文字を見つめる。

「これから君たちに、問題を一人一問、同時に解いてもらいます。もちろん、アルゴコードの過去の問題ね。制限時間は、決勝本番と同じで40分。それで、全員正解できれば決勝に向けて追い込みをかけてもらうし、本番でもきっちり闘ってもらう。でも、誰か一人でも正解できなかったら」

大会は辞退よ、と悦子は言い放った。

「わかってると思うけど、決勝は三人一組での対戦だから、三人が三人とも全力を出せなきゃ勝ち目はない。誰かが勝ってくれれば大丈夫、とはならないってこと。めちゃくちゃ強い相手を前にして、尻込《しりご》みしてしまうのはわかる。そんな強豪たちに勝つなんて無理だと思っちゃうのも、気持ちはよくわかる。でもね、それを乗り越えないと競技で勝つことなんてできないし、そもそも勝負以前の問題で、お話にならないわけさぁ」

悦子はツインテールの髪を揺らして、眼鏡を持ち上げる。

「はっきり言おうか。今の君たちは、気持ちで負けてる。このまま決勝本番を迎えても、断言してもいいけど、一試合も勝てない。だったらいっそのこと……わたしが今ここで引導を渡してあげるわ」

いつになく真剣な目つきで、悦子はわたしたちの顔を見渡す。

わたしは思わず、手に汗を握る。

小百合と涼子は険しい表情で、身動きできないままでいるようだった。

どうする、と悦子から無言で問われるような視線を向けられる。

——答えは一つだ。

「やります」

ここまできたら、やるしかない。

そして、わたしに続いて口を開いたのは小百合だった。

「私もやります」

一言だけ。

それを受けて涼子が、

「……やるよ」

とつぶやいた。

よし、と悦子はうなずく。

「問題はもう選んであるよ。この《雪》と《月》と《花》ね。難易度に差はほとんどないけど、それぞれ別の問題だから。それじゃ、誰がどの問題を解くか三人で決めてちょうだい」

悦子の言葉に、わたしは小百合、涼子と顔を見合わせる。彼女たちは依然として険しい顔つきをしていた。

そして小百合が、

「私が《雪》やるわ」

と言った。

競プロ部代表としての矜持《きょうじ》のようなものを感じ取る。

わたしは一つうなずいて、涼子の目を見やった。

決めかねる、という涼子の様子を察して、

「わたしは《月》で」

と告げた。

「オッケー。そしたら、豊福ちゃんが《雪》で長谷部ちゃんが《月》、井手上ちゃんが《花》を解くってことでいいね？」

確認する悦子の声に、わたしたちは無言で首を縦に振った。

「よし。5分後に始めよう」

悦子の言葉を合図に、準備に取りかかった。部室に置いてあるノートパソコンを開き、バーチャルコンテストのページへ移動する。

——解散でもいいのかもしれない。

不意に、小百合の言葉が頭をよぎる。気持ちで負けているという悦子の言葉が、まさに現状を示している。いつでも前向きな小百合が初めて見せた、弱気の姿勢。もとより涼子は、気持ちが折れかけているようだった。

自分は、どうなのか。

自問する。

たしかに、強豪に勝つのは並大抵のことではないとわかっている。だけど、自分は、決勝に挑まずこれで終わりにしてしまってもいいのか。

闘わずして負けを認めてもいいのか。

「自分に勝つんだよ」

悦子が言葉にする。

「心配いらないよ、わたしはいつだって君たちのそばにいるから。試練だと思って、全力を尽くすことに集中しな」

悦子にいつもの朗《ほが》らかさはなかった。

合宿のときでさえ感じなかった彼女の本当の厳しさを、初めて垣間見《かいまみ》た気がした。

「準備はいいね。それじゃ——心してかかれ」

悦子の言葉を合図に、問題がオープンになる。わたしはさっそく《月》のページを開いた。

問題設定はシンプルだった。しかし、これは難しいというのが直感的にわかる。初級者向けの定期コンテストであれば問題EかFに相当するだろう。このレベルの問題が解けるのは、何千人といる参加者の内で数パーセントほどかもしれないと予想する。

しばらく考えて、方針が立ったところでソースコードを書き始めた。

開始から20分ほどが経過。三つある入力例を試し、全て想定解が得られた。

ふと、競プロを始めたばかりの頃が思い浮かぶ。当時はこんなにすぐ解法が思いつくことはなく、コーディングもぎこちなかった。この半年での成長なのかもしれない。

春頃には、小百合のコーディングの速さに驚きつつもソースコードを自分なりに組み立て、同じタイミングで競プロを始めた涼子に負けないよう必死にアルゴリズムの勉強をしていた。

今となっては遠い過去のことのようだけれど、ときには小百合と涼子から教えてもらったり、逆に数学色の濃い内容についてはわたしから二人へ解説したり。いろんなことがあったな、と懐かしささえ感じる。

ソースコードを提出する。

……3/31 OK……8/31 OK……13/31 NG…………

《WA》

眉をひそめてしまう。

どこかで見落としがあったに違いない。慌てずにソースコードを切り分けて原因を探る。春頃であれば《WA》が出た時点で頭が真っ白になり、そこからの修正方針を考えることが難しい場面が多かったけれど、今では落ち着いて対処することができる。夏合宿で圧倒的な量の《AC》と《WA》を積み重ねてきたことが血肉となっているのだろう。

30分経過。

数え上げの繰り返し処理の中に見落としがあったことに気づき、すぐにコードを書き加える。三つの入力例だけでなく、考えうる特殊なケースも試して、期待どおりの解が得られることを確認する。

——次こそは、いける。

もう一度、コードを提出する。三十一個のテストケースによるジャッジが始まった。

……4/31 OK……9/31 OK……15/31 OK……

正面の席、小百合の様子をうかがう。限りなく平常と変わらない顔つきだったが、わずかに焦りの色が浮かんでいるような気がした。

……19/31 OK……22/31 OK……28/31 OK……31/31 OK.

緑色ハイライトの《AC》が目に飛び込んでくる。

ふう、と一息つき、椅子の背もたれに体重を預《あず》けた。隣の席では、涼子が一心不乱にキーボードを叩いている。二人がどんな問題を解いているのかはわからないけれど、二人とも目の前の問題に真剣に向きあっていることが伝わってきた。

残り5分。

正面の小百合が大きなため息をつく。しかしそれは諦めではなく、先ほどの自分と同じく安堵《あんど》のそれのようだった。わたしの隣では、タイピングの音が一層激しくなる。声援を送りたいところだが、決勝本番でも話しかけることはできないルールになっているので、仕方なく無言のまま涼子を見守った。小百合も、両手を合わせて涼子のことを見ている。

あと1分。

キーボードを叩く音が止み、カチリ、とマウスをクリックする音が響いた。

これがラストチャンスだな、と瞬間的に頭をよぎる。

「よっし……ッ！」

数秒後、涼子が勢いよく立ち上がった。

わたしは、小百合と顔を見合わせた。笑みがこぼれる。

「そこまで」

悦子の声。

結果は、明らかだった。

「よくやったわね」

悦子は口元を緩める。そして彼女は、ポンと両手を打った。

「んじゃ明日からさっそく、決勝に向けてラストスパートをかけてもらおうかしらね。あ、そうそう」

バーチャルコンテスト《雪月花》のページを悦子は開く。そしてプロジェクターにつないで、問題の画面を大きく映し出した。

「解いてもらったのは三問とも、過去の全国大会の決勝で出題された問題よ。本番が楽しみ、楽しみ！　ねえ？　――自信ついた？」

にゃははっ、と悦子は大きく笑った。全てを見透かしたような笑顔を向けてくる。そして彼女は、赤紫色の巻き髪ツインテールを揺らした。

「まあ、確実に力はついてるんだから心配するなってことよ。決勝まで残り一か月ちょい、やってやろうじゃないの！　決勝トーナメントで優勝したら、ご褒美《ほうび》に悦子センセからアツぅいベーゼをプレゼントさぁ！」

「だからいらんて、それ」

涼子が即答する。

「あ？　なんか言った？」

「さあせぇん」

「あと、長谷部ちゃんには特別に、雷神からの『激アツ胸アツ☆ときめキッス　～スペシャルロングバージョン～』もあるから。お楽しみに！」

「待って待って！　それたぶん、体中バキバキになるやつでしょ！　なんでわたしだけ！」

「応用数学科では常識よ」

「そんな……」

「自分の教え子に厳しすぎやろガチで……あっ、そういやさ」

涼子が悦子に訊く。

「雪月花？　ってなんなん？　どういう意味？」

「ふっふーん、ナイショー」

悦子は鼻の穴をピクピクと動かす。

「うわ、ウザ」

「何よ、その言い方！　自分で調べなさいよね！」

「ええっ……教えてくれてもええやん……」

「さぁて、それじゃ明日からはりきっていくわよ！　今日のところはこれにて解散！」

ちゃおー、と悦子は満足げに部室をあとにした。

4

残されたわたしたちは、ホワイトボードの前に集まった。

「マジで自由やな、あの人……」

涼子が呆《あき》れたように笑う。

「そうね」

小百合がそれに応えた。

へへっ、と笑って涼子が話を切り出す。

「……あたしさ、あれから、夢を見るんよね。べえやんと、お嬢と、えっちゃんと、四人で東京にいてさ。笑顔で抱き合って、ガッツポーズしてる夢。んでさ、あたし、びっくりしたことがあったんやけど」

「なに？」

小百合が訊く。

「まえに入ってたサークルの飲み会に誘われて、久しぶりに参加したんよね。だいたい知ってるメンツだったんやけど、それがさ……めちゃくちゃ面白くなくて。あれ、こんなんやったっけな、って飲み会中ずっと違和感があって。で、だんだんさ、こんなん時間の無駄やん、ってイライラしてきちゃってさ。こんなことしとる時間があったら一問でも多く問題解かないと、って思ったんよね」

「りょーちゃん……」

小百合は小さく言葉を漏らす。

ふふっ、と涼子は笑った。

「びっくりしたんよ、自然にそう思ったけん。あまりにも当たり前に、そう思ったんよね」

「りょーちゃん、それって――」

「わかっとるんよ。もうさ、答えは出てたんよね、ホントのところは。あたしの中での答え。で、それってたぶん、べえやんともお嬢とも一緒なんやと思う」

はあぁ、と涼子は深くため息をつく。

「二人にひどいこと言ってしもた、あたし」

——もういいでしょ、これ以上はムリ。

数週間まえ、部室で涼子はそう言っていた。

捉えようによってはわたしや小百合のやる気まで削《そ》ぐような、ネガティブな言葉だったのかもしれない。

だけど、それは涼子の本当の気持ちだったたし、わたしも、きっと小百合も、あのとき気持ちは同じだったはずだ。

「二人とも真剣に競プロと向き合って、努力して、なんとかしようと頑張ってくれてたのにさ。あたし、キツいこと言っちゃった……ごめん」

「りょーちゃん、大丈夫だよ。わかってる」

たまりかねて、わたしは涼子に言う。

涼子だけが謝ることじゃない。

「三人とも壁にぶちあたったのはよくわかってるし、それでりょーちゃんがどう感じてるかも、わかってるよ」

「……あたしさ、二人とも知っとると思うけど、なんでもかんでもうまくやれるような器用な人間やないし、けっこうテキトーなところがあるんよね。他のサークルも、アルバイトも、いつもそんな感じやったんやけど」

競プロはさ、と涼子は続ける。

「テキトーにやってたら絶対勝てんやん？　まぐれ勝ちとかありえんし。だから必死こいて頑張ってきたってのもあるんやけど……ホントはさ、最近になって自分、ようやく強くなれてきたんかなって思ってたところなんよね。なんていうか、レートが上がったとかランクが上がったとかっていうよりも、気持ち的に強くなってきたっていうか」

わたしは黙ったまま涼子を見つめる。

「今までずっと何をやってもテキトーに、中途半端にお茶を濁《にご》して、肝心なところで見ないフリして逃げてきたんよね。……怖かったんよ、失敗することが。本気でやって全然ダメだったら、いろんなものを失って、あたしがあたしじゃなくなるような気がして。何かに本気で取り組むことから逃げてきたんよね、ずっと。それが、競プロでは初めて逃げずにひたむきになれたっていうかさ。合宿ではゲロ吐いてフラフラになったり、交流試合ではボコボコにされたりしたけどね」

あはは、と涼子は笑う。

「でもさ、それでも逃げずにやってこられたっていうか。なんていうか、あたし変われたんかも、って思ってたんよね。せやけど、他のチームから実力の違いをはっきり見せつけられて、ああもう無理かもしれんな、って思っちゃった。そしたら、無意識に逃げちゃってた。えっちゃんの言うとおりやね、気持ちで負けとったんよ。せやから、今日ここに呼び出されて、えっちゃんから引導を渡してやるって言われて、実はちょっと安心したところがあったんよね」

凉子はうつむく。

「このまま問題を解けずに終わったら、もう闘わなくてもええんや、って思っちゃったんよ。でもさ、いざ問題を解き始めると……なんかもうどうでもよくなって。シンプルにね、問題解くのが楽しいって思ったんよ。問題文を読んで要求されてることを理解して、どういうアルゴリズムを使えばいいか、どう実装すればいいか、とか考えてるとさ、やっぱ、なんやかんやゆうて楽しいんよね」

わたしは、何も言わずに彼女の言葉に耳を傾けた。

凉子は微笑む。

「さっき、終了間際になってペナルティ一回出したんやけど、絶対《AC》してやるんやって思ってさ。チョー必死やったよね。そんで、終了ギリギリになって《AC》した瞬間、なんか電気みたいなのが体中を突き抜けた感じがして。ちかっぱ嬉しかったっちゃね。んで、べえやんとお嬢のほうを見たら二人とももう正解してたっぽかったけん、ああ、これは本番でもイケるわ、って思ったんよ。三人で勝てるわ、って」

「りょーちゃん……」

小百合が小声で言う。

「ごめん、なんかいろいろ言ったけど、あたしはやっぱり、べえやんと、お嬢と、一緒にやっていきたい。だから、ごめん」

ごめん、と涼子は再び頭を下げる。

「——競プロ部はもう解散でもいいのかも」

小百合の突然の言葉に、涼子は目を見開く。

わたしも、不意を突かれた気がした。

「念願の決勝進出は達成できたんだもの。りょーちゃんの言ってたとおり、もういいのかもって」

「お嬢！」

涼子が小百合の両肩をつかむ。

「違うんよ！　そうやない！　もうムリとか言って逃げ出したあたしが言えた立場やないかもしれんけど、まだまだこれからなんよ！」

「大丈夫よ、りょーちゃん。わかってるわ」

小百合は涼子の手に、自分の両手を添《そ》えた。

「もういいのかもって思ってたんだけど……えっちゃんからの試練を受けて、やっぱり私は競プロ部をもっと強くさせたいって改めて思ったの。この三人で」

「お嬢……」

「仮に今回の全国大会の決勝を勝ち上がるのは難しいとしても、これで終わりじゃないし。まだ来年もあるわ。私たちは、まだまだ強くなれる。そうでしょう？」

真摯《しんし》な目の小百合を前に、涼子は動けずにいるようだった。

わたしの頭には、中学校時代のことが思い浮かぶ。

「わたしはさ」

小百合と涼子の視線を受けとめる。

「中学のとき剣道部だったんだけど……孤立してたんだよね」

チームのために、と願って精進したところで、自分が強くなればなるほど他の部員たちとの溝《みぞ》は深まるばかりだった。

「小さい頃から剣道やってたから、一年生ですぐにレギュラー入りしたんだけど、上級生の恨《うら》みを買っちゃって。同級生からも見放されてさ。結局、退部したんだけど」

「べえやん……」

涼子は声を漏らす。

気遣わしげな、小百合と涼子の視線。

「それからもう、こりごりだったんだよね、部活って。誰かと何かを一緒に頑張るのって、もう二度とやりたくないって思ってた」

胸の内に刻み込まれた、憤りと哀しみ。

もう同じ気持ちは味わいたくない。

そんなふうに強く思っていた。

「だから、大学に入っても部活とかサークルとかにはどこも入らなかったし、お嬢から競プロ部に誘われたときも、最初はずっと断ってたんだよね」

「そっか、それで……」

小百合が言葉を漏らす。

「結局、入部したんだけどさ。だから最初は、競プロ自体は楽しいけど部活をするっていうのは抵抗があったっていうか」

でも——。

わたしは。

「だけど、今はもうそんなことなくって。わたしはこの三人で、全国大会で優勝したい。そのためなら、わたしはなんだってやりたい」

競プロで、自分自身の強さが二人のためになるのなら。

しっかりと受けとめてくれて、支え合って、高め合ってくれる仲間がずっとそばにいてくれるのなら。

仲間を信じて、仲間のために全力を尽くしてもいいのかもしれない。

むしろ、そうしたい。

わたしは心から強く願った。

「お嬢、りょーちゃん」

小百合と涼子の目を見つめる。

もう、多くの言葉はいらなかった。

「優勝しよう」

小百合は両手で口元を押さえる。

無言のままわずかにためらう様子を見せた涼子は、意を決したような顔つきになり、口を開いた。

「せやね、やっちゃろうよ。こうなったら、決勝トーナメントに進んで、優勝してやろう。もっともっと、強くなっちゃろう」

涼子は真剣な眼差しでわたしと小百合に訴えかける。

小百合の頬に、涙が伝った。

「べえやん……りょーちゃん……」

くっきりとした二重まぶたが、ゆっくりと伏せられる。

「また一緒に、やってくれる……?」

「当たり前やん！　ごめん、ごめんよ」

凉子は小百合を抱きしめて、何度も謝る。

わたしも二人の肩に手を回して、

「お嬢、りょーちゃん、また三人で頑張ってこ」

と言葉をかけた。

うん、うん、と小百合は何度もうなずく。

「ありがとう。べえやん、りょーちゃん」

涙を拭いて、小百合は笑いかけてくる。

わたしも凉子も、それに笑って応えた。

「それにしてもいきなり優勝しようとか、ほんっとキュンやわ……そういうトコやぞ、まなたん」

凉子がため息交じりに言う。

「まなたんはやめい」

そして小百合が「そっか」と何かに気づいたような様子を見せる。

「だから《まなたんファンクラブ》が……」

「えっ？　ちょっと待ってお嬢、なんかめちゃくちゃ気になるワードが飛び出てきたんだけど」

「風の噂《うわさ》だけどね」

「熱狂的なファンがおるらしいばい」

「マジで!?　わたしの知らないところでそんなの怖いんだけど！　いや待って、ジョークだよね？」

「会員の中には教員もいるとかいないとか……」

本気とも冗談ともつかない面持ちで小百合が天井を見る。

「待って待ってそれガチのやつじゃん、さすがにヤバすぎでしょ……他の大学に編入しようかな」

「そんなことしたら、べえやんを追っかけてみんな編入しちゃうでしょう？　大学に迷惑がかかるから、却下」

「ばっさり！」

わたしが声を上げたところで「さて」と小百合が両手を合わせる。

「まぁ、それはいいとして」

「いくない！」

「二人ともさ、今夜うちに泊まってかない？　今後の作戦会議したいなって」

「あたしはだいじょぶよ。べえやんは？」

「うう……スルーされたし……わたしも大丈夫だけど……」

「よし、決まり！」

パン、と小百合が両手を合わせる。

全国大会の決勝まで、残すところ二か月弱。

アツい冬の到来は、すぐそこまできていた。

第八章　ラスト・デイズ

1

半年まえにはアニメの特設ステージが展開されていて、声優のトークイベントが行われていた、アキバ・スクエア。JR秋葉原駅の目の前にそびえ建つ秋葉原UDXの一角に、そのイベントスペースはある。

迎えた土曜日、各校のプレイヤーたちは午前九時に会場へ集合し、九時半から開会式が行われるのを選手控室で待っていた。総勢四十八名が会場脇の広い一室に集《つど》う。

決勝プールステージでは、少なくとも尾道大チームに勝って、京極大チームに勝つのは難しいとしても、早乙女大チームには勝つことでトーナメント進出を目指す、とわたしは考えていた。しかし、小百合は言った。京極大には勝ちを狙いにいくべきである、と。

京極大チームの心理としては、高確率でわたしたちのことを格下だと見くびっているだろう。京極大の対戦順は早乙女大、天神大、尾道大だ。多少手ごわい早乙女大とは勝っても負けても、天神大と尾道大には余裕で勝つ。それで少なくとも二勝を挙《あ》げて、決勝トーナメント進出。そんな筋書きを思い描いているに違いない。

一方で、紗綾率いる早乙女大とは純粋に実力勝負でのぶつかり合いになる目算が高く、戦略勝ちを狙いにいきにくい。

京極大との対戦では、相手の驕《おご》りを逆手《さかて》に取り、牙《きば》をむいて勝ちをもぎ取る。もし京極大を下すことになれば、過去大会から振り返ってみても間違いなく最大級の番狂《ばんくる》わせだ。尾道大には手堅く勝利を挙げ、そしてさらに、早乙女大に真っ向からぶつかって実力で勝つことができれば――決勝トーナメント進出は現実のものに。そう考えると、俄然《がぜん》やる気がみなぎってきた。

「私たちに、やれる……？」

小百合は神妙な面持ちになり、気持ちを確かめるように問う。

「やれるよ」

わたしは答えた。

そして凉子はグッと拳を握る。

「せやね。やっちゃろう。……もしかしたら、負けフラグは立っとるかもしれんけど」

涼子の言葉を受けて、小百合の表情に一瞬だけ陰りが見えた。

——ここまできたら、弱気な姿勢は今この場で払拭《ふっしょく》しておきたい。

「大丈夫。そんなフラグなんか、へし折ってやろう」

わたしの言葉に、三人でうなずき合う。

乾坤一擲。

部室の掛け軸にある言葉のとおりだった。

今、わたしたちのラスト・デイズが始まろうとしていた。


控室では大学ごとにテーブルが割り振られていて、天神大チームと早乙女大チームは隣り合わせだった。悦子と仁先生は、先に会場入りして何やら話をしていた。

「いよいよだね」

早乙女大チームの代表、紗綾が笑う。

彼女はこの日、開会式で選手宣誓をすることになっていた。

「そうね、一時間後にはもう、みんな闘ってるのよね。そう考えると、なんだか変な感じ」

小百合が部屋の中を見渡しながら答えた。

「さやセンパぁイ」

遥香が入口のほうで手を振っている。その隣にはグェンの姿もある。

「ちょっとごめんね」

紗綾は席を外す。

「べえやん、お嬢、ちょっと確認しとこ」

涼子が言う。

決勝では、試合中の私語が禁止されていて、仲間同士でも話すことはできない。ただ、不正と疑わしき行為を除《のぞ》けば、全ての行動を禁止されているわけではないので、試合中にもし判断に迷ったときのために、あらかじめ合図を決めてあった。

「攻めるときは親指を立てる、守るときは掌《てのひら》を開いて《待て》のポーズ、やんね」

ジェスチャーしながら涼子はわたしと小百合の顔を見る。

「改めてやけど、具体的にどういうときやろ？　合図使うの」

そうね、と小百合が答える。

「もちろん、判断に迷ったときはいつでも合図を出してオッケーなんだけど、その判断が難しいときもあると思うの。自分はもう問題が解けてコードも書き終えてて、あとは提出するだけ、みたいな状況。たとえばそういうときは、合図を求めたほうがいいかも。闘ってる最中のコーディングの状況はモニターで映されるようになってるから、待ってる二人も状況はわかるし」

「なるほど、おっけ」

「でも、えっちゃんも言ってたけど……最終的には自分の感覚に従いましょう」

「せやね、オッケー」

「了解」

わたしも返事をして、確認する。

「初戦だけど、りょーちゃん、お嬢、わたしの順だよね？」

小百合と涼子は何も言わずにうなずく。

レートを基準にすると先鋒・涼子、中堅・わたし、大将・小百合のオーダーが順当だけれど、予選でのパフォーマンスを考慮して、初戦はわたしと小百合の順番を入れ替えることにした。

第一試合は尾道大チームとの対決だ。悦子の分析でも、予選の結果や現在のレート、九月以降の演習量でいずれも天神大チームが上回っているようだった。尾道大チームもわたしたちと同じく今回が決勝初進出で、実力のほどは実際のところ未知数だが、油断は禁物だ。

「バッカでー！　だから言ったじゃーん！」

急に、早乙女大チームのテーブルとは反対側に位置するテーブルから、大きな声が上がった。

「姫子《ひめこ》、ちゃんとアイテム持ってきてくれよ！　そんなんじゃ狩《か》りできないっしょ！」

何やら携帯ゲーム機で遊んでいるらしかった。

大会の優勝候補と目されている、京極大チーム。予選ステージ、交流試合ともに圧倒的な成績で、東雲大と僅差で二位だった。

大声を出していたのはまだらなブロンドヘアの女子で、交流試合のときもゲームに熱中していた。彼女と何かを言い合っているのは、派手なピンク色のウイッグを付けてアニメキャラのコスプレをしている、姫子と呼ばれた女子だった。

「すんまへんなあ。まさかリサはんが、そないに控えめやとは思ってへんかったさかいに」

その口ぶりとは対照的な、人を小馬鹿《こばか》にした態度で姫子が応じる。

「………ダサ」

いかにも面倒くさそうな態度で、半分閉じた目をして眠そうな女子が吐き捨てた。

「詠美《よみ》までダサいとか言ってんなよ！　おっ、アイテムゲット！　うえーい！」

彼女たちとは第二試合でぶつかることになっている。

あまりに騒ぎ立てているので、わたしたちはいったん控室から出た。

「我がもの顔、って感じね」

小百合は努めて平静な表情だけれど、交流試合のときと変わらない不遜な態度の彼女たちに対して穏やかならぬ感情を抱いていることが伝わってくる。

「おーい」

呼ばれた声に振り返ると、遥香が手を振っているのが見えた。そのすぐ後ろには紗綾がにこやかに歩いてきて、グェンも続く。

「こんなとこで何やってんのぉ？」

遥香はわたし、小百合、涼子の顔をキョロキョロと見やる。

「うん……ちょっと気分転換」

「そっかぁ」

わたしの返事を気にする風でもなく、遥香はうなずく。

「もうすぐだね」

言って、紗綾がスマートフォンで時刻を確認する。あと5分ほどで開会式が始まるところだ。

「お互い、全力で闘おうね」

「もちろん。全力で」

小百合が答える。お互いにそれぞれのメンバー同士で握手をした。

五月の遠征試合のときから、わたしたち天神大の三人はどこか彼女たちを追いかけてきたのかもしれなかった。チーム同士の対戦の厳しさを初めて痛感させられ、予選ステージでも、交流試合でも、彼女たちには一度も勝ったことがない。早乙女大の三人をよきライバルとして捉えているし、彼女たちも同様にわたしたちのことをそう認めているに違いなかった。

総合司会のうめちゃんが現れ、控室に入っていった。すぐに、各校のプレイヤーたちがぞろぞろと移動していく。

「私たちも行こう」

紗綾が言って、早乙女大の三人は会場へ先に向かう。

わたし、小百合、涼子は顔を見合わせ、そしてうなずいた。

――やってやる。

気持ちは一つだった。

2

午前九時五十分。

開会式は、アベハルさんの挨拶、うめちゃんのルール説明、そして紗綾の選手宣誓と、つつがなく終了した。

いよいよ、決勝プールステージが開始する。

会場内ではプールごとにエリアが分かれ、その中でさらにテーブルが二つに分かれる。テーブルの上には運営側で用意されたノートパソコンが向かい合わせで一台ずつ置かれていた。

先鋒、中堅、そして大将同士の闘いで、それぞれ40分一本勝負。対戦するプレイヤー以外の二人はテーブルの後方で待機し、それ以外の人は近づくことができない。観客はテーブルから二メートルほど離れた場所から自由に観《み》ることができるようになっている。

各テーブルの端には大きなディスプレイが二台並べて設置され、それぞれプレイヤー用のノートパソコンとつながれていた。対戦中は、プレイヤーの動きがディスプレイ越しに観客へ伝わるようになっている。ソースコードを書くところも、提出するのも、ジャッジが回るところも、全て巨大な画面に映し出される。

悦子は対戦相手の後方前列の付近で、わたしたち三人と向かい合わせになる形で待機することになった。顧問でさえテーブルに同席することはできないので少し残念だけれど、すぐそばで戦況を見守ってくれるだけでも心強い。

まだ午前中にもかかわらず、会場内は大勢の観客でにぎわっていた。アルゴコード社は事前にＳＮＳや動画サイトなどでも力を入れて宣伝していたので、その甲斐があったのだろう。代表取締役社長のアベハルさんの大会にかける意気込みはかなりのもののようだった。

『はい！　それではプールA・第一テーブル！　第一試合、まもなく開始です！』

各テーブルにはアルゴコード社の社員が一人ずつ実況に入っていた。わたしたちのいるプールA・第一テーブルでは、うめちゃんが実況を担当している。

運命の決勝プールステージ、第一試合。

向かい合うのは、尾道大のプレイヤーたち。

『それでは先鋒、前へ！』

涼子が一歩前に出る。

「りょーちゃん、しっかり！」

小百合が声をかける。

涼子は振り返って、一つうなずいた。

「りょーちゃん！」

わたしが呼んでグッと拳を握ると、涼子も笑顔で握り返してきた。

時刻はまもなく午前十時。

周りの観客から歓声があがる。

テーブルについた涼子は、ノートパソコンの動作確認を行う。準備が整った。

『それではいきましょう！　先鋒戦！　40分一本勝負、はじめッ！』

戦いの火ぶたが切られた。

3

約二時間の闘いを制し、わたしたちは尾道大にストレート勝ちを収めた。第一試合から難易度の高い問題が出題され、初級者向けコンテストでの問題ＥかＦに相当するようなものが続いた。

昼の休憩をはさみ、再び会場に戻る。

第二テーブルでの第一試合、早乙女大チーム対京極大チームは、京極大のストレート勝ち。その対戦結果を見たとき、にわかには信じられなかった。紗綾たちは全員ノーペナルティで下されている。これが優勝候補の実力か、と驚異的な強さを再認識せざるを得なかった。

京極大のオーダーは先鋒・姫子、中堅・詠美、大将・リサの順だった。事前に悦子から聞いていたレートに基づく実力順は詠美、リサ、姫子。何か別の基準でオーダーを決めたのか、と考えたが、悦子の情報では京極大の三人はじゃんけんでオーダーを決めていたという。相手の出方を気にした様子も感じられない。

「たぶん、ちかっぱ余裕かましとるんやろうね」

涼子が憤りを見せる。

しかし、それだけ余裕を見せたとしても、第一試合では早乙女大にストレート勝ちしている。京極大は第二試合もじゃんけんでオーダーを決める可能性が高く、そうなると対戦順が読めない。

「オーダー、変えとく？」

涼子が神妙な面持ちで問う。

わたしたちのレート順は小百合、わたし、涼子なので、仮に第一試合と同じく姫子、詠美、リサの順で出てくるのであれば、こちらはわたし、涼子、小百合の順で挑んだほうが勝つ可能性は高まるだろう。じゃんけんでランダムに決められてしまうと状況はまた変わってしまうのだが、戦略的に勝ちを狙いにいくのであれば、少しでも勝率が上がる手を打つべきだ。

「ここは、変えずにいこう」

小百合がはっきりと告げる。

初戦のオーダー決めを踏まえての判断のようだった。

わたしは小百合の目を見つめる。戦略家の小百合といえども全てを見通せるわけではなく、苦渋《くじゅう》の決断であることがうかがえた。

涼子も、ゆっくりとうなずく。

オーダーは決まった。

第二試合も先鋒・涼子、中堅・小百合、大将・わたし。あとはもう、三人それぞれが最善を尽くすしかない。

『それでは！　まもなく第二試合を開始します！』

うめちゃんのアナウンスが響き渡る。

三人で円陣を組んだ。

京極大は第一試合を危なげなくストレートで勝利し、決勝トーナメント進出の可能性は高い。一方で、わたしたち天神大も尾道大に一勝を挙げている。ここまでは対等だった。

ここまでくれば自分を、仲間を信じて闘うだけだ。

「全力でいこう」と小百合が投げかけた。

「フラグ、ぶち折ってやろう」涼子が意気込む。

「やってやろう」わたしは二人に応える。

「「「いこう！」」」

『第二試合！　プールA・第一テーブルでは、京極大チームと天神大チームの対戦です！』

うめちゃんの実況で観客から注目が集まる。わたしたち三人はテーブルの前に並んだ。京極大も――となるはずが、いつまでも整列しなかった。並んでいるのは詠美だけで、その詠美も欠伸をしながら手元のスマートフォンをいじっている。そして、試合のことはおかまいなしに、リサは観客のほうへ向かってピースをしたり、コスプレをした姫子はあろうことか観客と記念撮影をしている。

「なめてんじゃないわよ……！」

小百合の闘争心に火がついたようだった。

その隣で涼子は拳を握りしめている。

――歴史を変えてやる。

昂《たかぶ》る気持ちを抑《おさ》えてわたしは心に誓《ちか》い、京極大の三人の顔を見据えた。

彼女たちは、わたしたちのことを完全になめている。格下だと思い込んでいる。

これは、チャンスだ。

ここで京極大に勝てばプールA単独で二勝となり、決勝トーナメント進出の可能性が高まる。

――やってやる。

『はーい、京極大チームのみなさん並んでくださいねー、反則負けになりますよー』

うめちゃんの注意で、リサと姫子はようやく整列する。

『それではこれより！　プールA・第一テーブル、京極大チーム対天神大チームの試合を始めます！　互いに礼！』

勝負が始まる。

『先鋒、前へ！』

「りょーちゃん」

わたしは呼んで、凉子の肩に手を添えた。

「りょーちゃんなら、きっとやれる。自分を信じて」

「──おう」

対面では、眠そうな目をしている詠美がテーブルの前に立った。

第一試合では姫子が先鋒だったけれど、やはりじゃんけんなどでランダムに決めているようだ。

「詠美！　頼むよ！」

詠美は、リサの呼び声に振り返ることもなく、面倒くさそうに肩の上でヒラヒラと手を振っただけだった。

凉子と詠美は、それぞれテーブルに着く。

そしてわたしは、凉子がノートパソコンの動作確認を済ませる様子を見守った。

『それでは、40分一本勝負！　先鋒戦、はじめ！』

うめちゃんの合図で試合が開始する。テーブル脇の巨大スクリーンを確認すると、問題ページが表示された。

凉子は、うっ、と初見で詰まったようだった。問題文が非常に長く、読み解くことが難しい。問題設定も複雑で、いつもの初級者向けコンテストだと全参加者の数パーセントほどしか解けそうにないレベルなのは疑いなかった。

二次元平面上の幾何《きか》に関する問題で、普段の凉子だったら落ち着いて考えればちゃんと解けるはずだ。決して苦手なパターンではないはず。あとは、凉子が焦ることなく題意をつかんで、ソースコードにしっかりと落とし込むことができれば――。

凉子の向かい側の詠美も身動き一つせず画面に集中している。その表情はまったく変わらないが、実力者の詠美であっても、どうやら一筋縄ではいかないようだった。

『これは両者、なかなか動きがありません！　先鋒戦から難問が出てきたようです！　さあ、均衡《きんこう》を破るのはどちらなのか！』

この時点ですでに10分近く経過していた。

そして、詠美がカタカタカタッとキーボードを叩き始める。

『京極大・先鋒、動きました！』

凉子の顔に焦りの色が浮かぶのが見える。

そして詠美を追いかけるように、凉子もコーディングを始めた。

『天神大・先鋒も手が動き出したッ！　さあ、どちらが先に《ＡＣ》を決めるのか!?』

残り時間、20分弱。涼子側の巨大スクリーンには、ようやくソースコードが仕上がったところで入力例を試していく彼女の様子が映し出されていた。

見た感じでは、涼子の書いたソースコードに違和感はない。しかし、どこに落とし穴があるかもわからない。固唾を呑んで見守る。

『ここで京極大・先鋒がサブミットぉ！　テストケースは二十七個、どうなるのかぁ！』

涼子も全ての入力例をパスし、コードを提出した。

『天神大・先鋒もサブミットだぁ！　これは面白くなってきました！　京極大・先鋒の結果は――《TLE》ですッ！　京極大・先鋒、ペナルティを出してしまいました！　さあ、対する天神大・先鋒のほうはどうだッ!?』

……9/27 OK……12/27 OK……14/27 NG…………

《WA》

『ああっと、《WA》です！　こちらもペナルティだあッ！　これはわからなくなってきましたッ！』

涼子は歯を食いしばっている。

わたしも思わず拳を握った。

どこだ。

どこに誤《あやま》りが……？

『残り時間、5分を切りました！　両者、泣いても笑っても次がラストチャンスでしょう！』

スクリーンには、涼子と詠美がコードを修正する一連の動きが映し出されている。画面上を高速に踊る、半角英数字と記号たち。

『きましたッ！　京極大・先鋒、再びサブミットぉ！』

不意にわたしは、詠美と目が合った。

半分閉じたような、吸いこまれるような詠美の目。

「お願い……！」

りょーちゃん――――！

『京極大・先鋒、《AC》ぃ！　《AC》ですッ！　先鋒戦は京極大チームに軍配《ぐんばい》が上がりましたぁッ！』

観客の声が大きく沸《わ》き立つ。

「詠美！　よくやった！」

リサの声が上がる。

涼子は全身の力が一気に抜けたようにテーブルへ突っ伏した。

「りょーちゃん！」

わたしと小百合は、涼子のもとへ駆け寄る。

もたれかかってくる涼子の肩を抱きとめた。

「べえやぁぁん……」

涼子はぼろぼろと涙を流す。

「りょーちゃん……おつかれ。がんばったね」

「悔しい……くやしいよぉ」

「りょーちゃん、がんばったわ」

小百合も涼子に声をかける。

「おじょお……」

『続いて、中堅！　前へ！』

「りょーちゃん――カタキとるから」

小百合が涼子の肩にポンと手を置いた。

そして彼女はテーブルに進み、姫子と対峙《たいじ》する。小百合の足がわずかに震えている
ように見えた。強敵に対する怖れなのか、それとも――武者震《むしゃぶる》いなのか。

対するは、鮮やかなピンクのウイッグを付けてアニメキャラのコスプレをした姫子。

小百合の目は、姫子の目を真っすぐに捉えている。

「おお？　なんやなんや、そないな目ぇされて、試合なんぞようできまへんわぁ」

おどけるように言って、場違いなほど派手な色の髪をいじりながら姫子はにやにやする。

『準備が整ったら、開始します！』

小百合と姫子は向き合って、それぞれノートパソコンの動作を確認する。

『それでは、40分一本勝負！　中堅戦、はじめぇッ！』

大きな歓声が上がった。

巨大スクリーンに映し出された問題文を読み解く。合宿での100本ノックで散々解き倒した、動的計画法に関する問題だとわかった。小百合がテーブル下で小さくガッツポーズするのが見える。おそらく彼女も気づいたに違いない。小百合の対面に座る姫子は、相変わらず見下すような目でへらへらと笑っていた。

――これは、勝てる。

あれだけやり尽くした動的計画法だ、小百合ならいける。

わたしには、確信にも似た思いがあった。

それは小百合にも、きっと。

『さあ、京極大チームは、早乙女大チームとの第一試合でストレート勝ち！　第二試合もまずは先鋒戦を制しました！　このまま危なげなく中堅戦も《ＡＣ》を決めるのか！　対する天神大チームは今大会で決勝初進出！　どこまでその実力を発揮できるのかッ！』

決して易しい問題ではないが、このパターンは小百合の体にも染みついているはずだ。

『おおッ！　天神大・中堅、早くもコーディングに入りました！』

キーボードを打つ様子から、小百合は一文字でさえミスをしないよう慎重さを増しているように見えた。もはや、周りの声も耳に入ってきていないのだろう。今の小百合に聞こえているのは、きっと自身のタイピング音だけだ。集中モードに入った小百合は、強い。

『手の動きも速い！　アルゴリズムが飛び跳ねてるッ！』

入力例、一つ、二つ、三つ。小百合が全て通すのをスクリーン越しに見届ける。彼女は一度動きを止めて、最終確認をしているようだった。特殊なケースは大丈夫か、繰り返し処理の範囲は、数値の桁《けた》は。

そして確信を持ったように、小百合はソースコードを提出した。ジャッジが始まる。

『天神大・中堅、開始10分足らずでもうサブミットです！　これは早い！』

観客にどよめきが広がる。

姫子の顔に驚きと焦りが混じったような色が浮かんだ。

テストケースは三十二個。

小百合は目を閉じている。

……7/32 OK……12/32 OK……17/32 OK……

『これはいけるのかぁ!?』

……21/32 OK……25/32 OK……28/32 OK……32/32 OK.

《AC》

『え、《AC》です！　なんという早さッ！　天神大・中堅、ノーペナルティで鮮やかに一本勝ちィ！』

観客の声が響き渡る中、姫子は唖然《あぜん》とした顔をしている。

小百合は、わたしと涼子のもとへ駆け寄ってきた。

「りょーちゃん、カタキとったわよ」

「おじょぉ！　さすがや！」

「お嬢、やったね！」

わたしも小百合の背中を叩きながら称《たた》える。

「くっそおッ！」

姫子は叫んで、バンッ、と大きな音を立ててテーブルを叩いた。

怒りを隠そうともせず悔しさを顔いっぱいに浮かべて、彼女はテーブルを離れた。

『さあァ！　盛り上がってまいりましたァ！　プールA・第一テーブル、第二試合の京極大チーム対天神大チーム！　京極大チームが優位かと思われましたが、波乱《はらん》の展開です！　ここまで一勝一敗、次の大将戦でいよいよ勝負の行方《ゆくえ》が決まりますッ！』

いつの間にかテーブル周辺の観客の数は増えていて、開始時の倍近くにもなっているように見えた。

『大将、前へ！』

リサがテーブルの前に立つ。

わたしも一歩踏み出した。

「べえやん！」

涼子が叫ぶ。

わたしが振り返ると、涼子は再び叫んだ。

「フラグぶち折ってやろおおッ！」

わたしは一瞬動きを止め、そして涼子に向かってグッと親指を立てた。

「あははははッ！　なぁに言ってんだ!?」

リサが腹を抱えて笑う。

「あははッ、フラグぶち折るってなんなん！　まさか、アタシらに勝てるとか本気で思ってんの!?　クソ雑魚《ザコ》はすっこんでろよ！」

「君ッ！　慎《つつし》みなさい！」

マイクをオフにしてうめちゃんが注意する。へーい、とリサは明らかに反省などしていない不遜な態度でにやにやしている。

わたしは、歯ぎしりをして拳を握りしめた。

——そのぐらいにしてもらおうか。

「おい」

低く言って、テーブルを回り込む。

リサの目の前に立ち、至近距離でにらみつけた。

「いい加減にしとけよ」

「君も！　元の位置に戻りなさい！」

「絶対、勝つ」

わたしが言い放つと、リサは一歩のけ反《ぞ》った。

そしてわたしは自分の席に戻る。

観客の間にどよめきが広がった。

『さあ、第二試合、大将同士の闘いです！』

不穏《ふおん》な空気を振り払うように、うめちゃんが努めて大きく声をあげる。

『激戦を制するのは、どちらのチームなのか！　準備ができ次第、試合開始です！』

気を取り直して、ノートパソコンの動作確認を手早く済ませる。

わたしには一つ、気づいていることがあった。

『それでは、40分一本勝負！　大将戦、はじめぇぇ！』

ひときわ大きな歓声が上がる。

問題がオープンになり、すぐにわたしは勝ちを意識した。

気づいていたこと、それは――決勝プールステージで、ここまで確率に関する問題が出ていなかったこと。まったく出ない可能性もあった。しかしここにきて、わたしが得意とするパターンの問題が出題された。

――やれる。

負けフラグなんか、ぶち折ってやる。

冷静に問題文を読み解いていく。制約条件を確認すると、単純な探索アルゴリズムなどではタイムオーバーを招《まね》きそうだった。

『さあ、両者、問題文をにらんだまま微動《びどう》だにしません！　さすがに大将戦、一筋縄ではいかないようです！』

これまでの問題と同じように難易度は高いが、解くための道筋は見えてきている。書くべきコードの量も多く複雑そうな感じがするけれど、合宿で散々、それこそ毎日夢に出てくるまで練習してきた。

『先に動き出したのは、京極大・大将！　——あぁっとぉ！　天神大・大将もコードを書き出しましたッ！』

リサは明らかに焦っているようで、キーボードをガタガタと叩く様子からも、その表情からも、余裕が感じられない。

——引きずられる必要はない。

こちらはこちらの最善を尽くすのみ。

『どちらが先にサブミットするのか！』

入力例は三つあって、全て通った。しかし、ここでそのまま提出するわけにはいかない。例外的な入力や特殊なケースを考慮する。

そのとき、おおおッ、と観客の声が湧き起こった。

『京極大・大将、サブミット！　テストケースは二十五個だぁッ！』

先を越されたことに少し驚いたが、ペースを乱さないようコーディングに集中する。

これでリサが《AC》になれば、もちろんわたしの負けなのだが――。

『ああぁッ！　《WA》ですッ！　京極大・大将、ここで痛恨のペナルティ！　大将戦には魔物が棲《す》んでいるのかぁ！』

リサの顔を見る。《WA》を出したことで明らかに平静さを失いかけているようで、弱気の色が見えてきている。彼女にしてみれば、ペナルティを出した以上は何がなんでも《AC》を取りにいくしかないだろう。

残り時間、15分弱。

風向きが変わるのを感じた。

このままわたしが何もせず試合終了になれば、ペナルティ差でわたしの勝ち。しかし、わたしが何もしないままリサが《AC》してしまうと、わたしの一本負け。

サブミットか否か――。

わたしは、後ろに立つ仲間たちのほうへ振り返る。

親指を上に立てればトライ、掌を広げて《待て》のポーズだったらステイ。

小百合は力強く、トライの合図。

涼子は――？

目が合い、涼子は全開の笑顔で親指をグッと立てた。

わたしの腹は決まった。

入力例以外の特殊なケースを慎重に考え、複数のパターンごとに出力を試す。一つだけ引っかかった。やはり焦って提出するべきではない。

修正方針は見えているので、残り時間を考えてすぐさまソースコードを書き直す。

『天神大・大将、もの凄《すご》い勢いでキーボードを叩きます！　凄《すさ》まじい気迫だぁッ！』

再び出力を試す。今度は全て通った。

――絶対、勝つ。

わずかに震える手で、わたしは《提出》ボタンを押した。

『ここでッ！　天神大・大将、サブミットぉ！』

……1/25 OK……6/25 OK……10/25 OK……

目を閉じる。

マウスを握る手に、力がこもった。

『いけるのかぁ!?』

……12/25 OK……16/25 OK……19/25 OK……

「どうか……お願い……ッ！」

……22/25 OK……25/25 OK.

《AC》

『えぇえしいぃぃッ！　《AC》です！』

瞬間、割れんばかりの大歓声が巻き起こった。

『激戦を制したのはッ！　天神大・大将！　ノーペナルティで《AC》だあぁ！』

「ぃよおぉおっしゃあぁぁあッ！」

立ち上がって叫ぶ。

会場中から観客が集まってきていて、テーブルの周りはとてつもない熱気に包まれていた。その中には、アベハルさんの姿もあった。

リサに目をやると、放心状態のようだった。

その後ろでは、詠美は無表情で、姫子は呆然《ぼうぜん》としている。

「べえやあぁあん！」

「うああぁあッ！」

振り返ると、小百合と涼子が叫びながら駆け寄ってきた。

「やったッ！　やったあぁあ！」

絶叫し、喜び全開で二人と抱き合う。

『なんということでしょうかッ！　前々回の大会で優勝、今大会でも優勝候補の京極大チームが！　決勝初進出の天神大チームに敗れました！　二対一ッ！　これは、大会史上最大級の番狂わせでしょう！　勝ったのは、天神大！　プールA・第一テーブル、第二試合を制したのは天神大チームです！』

——京極大に勝った。

無名のわたしたちが、優勝候補のチームに。

両手が震える。

隣の第二テーブルでは、早乙女大が尾道大にストレート勝ちを収めていた。これで尾道大は二敗となって決勝プールステージ敗退が決まり、京極大と早乙女大が一勝一敗で並んで、わたしたち天神大が単独首位に立ったことになる。

「みんなあぁッ！　すごぉい！」

悦子も叫びながら走り寄ってきた。

三人で悦子と抱き合う。

『はい、それでは！　休憩をはさんだあと、第三試合となります！』

うめちゃんのアナウンスでわたしたちはテーブルを離れた。まだ立ち上がることのできないリサは、テーブルの上に突っ伏している。その隣で詠美と姫子がいまだに信じられないといった面持ちで立ち尽くしていた。

4

気持ちの昂《たか》ぶりを抑えきれないまま、わたしは小百合、涼子とともに控室へと戻った。

「確認しておきましょう」

小百合が努めて冷静な口調で話す。

「次の第三試合でうちが早乙女大に負けて、京極大が尾道大に勝てば、三校が二勝一敗で並ぶことになるわ。京極大はきっと勝つだろうから、重要なのは、うちと早乙女大の試合ね」

「せやね。オーダーは、そのままでいく？」

涼子の質問に、小百合はうなずく。

「まえの二戦とも、早乙女大は先鋒・はるちゃん、中堅・グェンさん、大将・さやちゃん。たぶん、レートどおりの采配《さいはい》ね」

べえやん、と小百合はわたしの目を捉える。

「私より、べえやんのほうが調子良くて勢いがあると思うの。だから」

このままお願いね、と小百合は言葉を向けてくる。

レートから考えるとわたしたちの実力順は小百合、わたし、涼子だ。それが今ここでは、わたしと小百合が逆転していると彼女は言いたいのだろう。オーダーは先鋒・涼子、中堅・小百合、大将・わたしで変更なし。いざというときの合図は、トライのときは親指を立てて、ステイのときは掌を広げて《待て》のポーズ。

「へい、ガールズ」

悦子が控室に入ってきて、シュバッ、と右手を上げる。

「リラックス、りらーっくす」

そして悦子は両手を広げて見せた。

「なんやえっちゃん、べーぜならいらんばい」

涼子がベッと舌を出す。

「まだ何も言ってないでしょ！　あ、そうだ」

パン、と悦子は広げていた両手を合わせた。

「井手上ちゃん、あのときの《雪月花》の意味、教えたげる」

「えっ、何なに？」

「とある詩の一句で『雪月花の時に最も君を憶《おも》ふ』ってのがあってね。解釈は諸説あるけど、簡単に言えば、自然の美しさに触れるときに友とかつて過ごした楽しさを懐かしむ、っていう意味。わたしにとっては、君たちが競プロに一生懸命取り組んでる姿を見るたびに、一緒に過ごした特別講義や合宿のことを思い浮かべるってわけよ」

悦子は優しげな顔つきになる。

「わたしは、君たちのそばで見守ってるから。いつでも。全力でやっといで！」

ちゃおー、と悦子は笑いながら手を振って、控室を立ち去っていく。

——あの飄々《ひょうひょう》とした数学者は、いつだってわたしたちのことを支えてくれた。ときには優しく、ときには厳しく。

その想いに応えるためにも、あとはもう、全力を尽くすだけだ。

小百合、涼子と肩を組み合った。

決勝プールステージ、運命の第三試合。

対決するのは、早乙女大。

わたしたち天神大の三人はテーブルの近くに並び、その対面には左から遥香、紗綾、グェンが並ぶ。彼女たちの気迫《きはく》を感じ、わたしは大きく息を吸い込んだ。

早乙女大の三人と出会って、半年。

全国大会の決勝の場で、とうとう彼女たちと再戦することになった。

彼女たちと出会った頃のわたしはまだまだ実力不足で、彼女たちには一歩も二歩も及ばなかった。

それから夏合宿を乗り越えて、予選ステージを突破し、交流試合を経て、ついにこの場で雪辱《せつじょく》を晴らすときがきた。

自然と、体の芯から力がみなぎってくる。

第二試合の余韻《よいん》を残すように、第一テーブルの周りには大勢の観客が集まり、すさまじい熱気に包まれていた。

「さやセンパイ！」

向かって左側に立つ遥香が、中央で静かな笑みを浮かべている紗綾に向かって声を上げる。

「やってやりましょう！」

普段は感情の起伏をあまり見せないグェンも、気迫がこもった表情をしていて、決勝プールステージにかける気持ちは並々ならぬものがあるようだった。

紗綾は、いつにも増した鋭い目つきでこちらを見ている。強烈な威圧感、そして迫力。天神大側の中央に立ったわたしは小百合と涼子の手を握った。二人ともわたしの手を、ギュッと握り返してくる。

「遥香、グェンさん」

紗綾が口を開く。

「勝つよ」

いつもは温和な紗綾のものとは思えないほど腹の底から響く、低い声。

はいッ、と遥香が返事をし、グェンは無言でうなずいた。

早乙女大のキャンパスでの、初めての試合。初めて味わった、チーム戦での惨敗。そのおかげで奮起することができて、夏合宿ではかつてないほどの苦しみをくぐり抜けてきた。その甲斐あって、予選を突破することができた。秋の交流試合ではまたしても早乙女大の三人に敗れ、悦子の試練を乗り越えて、迎えたこの決勝プールステージでの対決。

紗綾、遥香、グェンの三人に勝つ。

それはわたしにとって、わたしたち天神大の三人にとって、決勝トーナメント進出以上に想いが強かった。

『さあ、両校とも気合十分のようです！　それではさっそくまいりましょう！　先鋒、前へ！』

とてつもない熱気とともに観客が沸き立つ。

遥香がテーブルに歩み出て、涼子も一歩前に出た。

「りょーちゃん！　しっかりね！」

小百合が声をかける。

わたしの声に涼子は振り返り、口を引き結んで真剣な表情をこちらに向ける。

「りょーちゃん！」

「あたしはもう、逃げない」

そう言って涼子は、右手を握りしめてわたしと小百合の前に突き出す。

わたしと小百合は顔を見合わせる。

そして、涼子と拳を合わせた。

「やっちゃるばい！」

涼子は声を張り上げて、テーブルに着いた。

『両チーム、ここまで《AC》を重ねてくるのに眠れない日もあったでしょう……それではいきます！　先鋒戦！　40分一本勝負、はじめぇェッ！』

ひときわ大きな歓声が上がり、先鋒戦が始まった。

巨大スクリーンに映し出されたのは文字列の操作に関する問題で、一見すると簡単そうだった。でも、しっかりと問題文を読み込んでいくと、そう易々とは解けそうにないことがわかった。

『さあ、決勝プールステージ第三試合、40分間で両者とも同じ問題を解いていきます！

先に《ＡＣ》を取るのは早乙女大と天神大、どちらなのか！』

　文字列の操作に何らかの規則性があることは明白だった。涼子は手元の紙に何かを書きつけている。おそらく、具体的な例を挙げていくことで、隠れたパターンを見出そうとしているのだろう。こういった地道な調べ上げについては、涼子は決して苦手ではないはずだ。落ち着いて考えれば、40分以内にきっと解ける。あとは、遥香がどれほどの力量を示すのか次第だが――。

　大筋の方針を固めたようで、涼子はコーディングを始める。ほとんど同じタイミングで遥香もキーボードを叩き始めた。

『両者、ほぼ同時に動き出しました！　さあ、競プロ乙女たちのアルゴリズムのぶつかり合い！　闘いを制するのは早乙女大・先鋒か！　それとも天神大・先鋒か！』

　スクリーンの映像を見ると、傍目にも書くべきコード量が多く、さすがは最終戦ともなると厳しそうだった。対峙している涼子の体感はなおさらだろう。

　とにかく、ペナルティを出すことは極力避けたい。解答時間が40分と限られているので、少なくとも引き分け以上に持ち込むにはペナルティをできる限り抑えることが重要だ。

『ここで！　早乙女大・先鋒、サブミットだぁッ！』

　遥香側の巨大スクリーンを見ると、ジャッジが始まっていた。

涼子の顔に焦りが浮かんだように見える。

『おおっと、天神大・先鋒もサブミットぉ！』

提出してから涼子は、しまった、と言いたげな顔をした。

しかし――。

『早乙女大・先鋒、《WA》です！　ペナルティとなってしまいました！　――なんと！　天神大・先鋒も《WA》だぁッ！　これはわからなくなってきました！』

涼子は苦しげな顔をする。向かい側に座る遥香も、険しい表情をしていた。

『さすがに最終戦ともなると、相当手ごわい問題のようです！　さあ、どちらが先に《AC》を取るのか!?　それとも、このまま引き分けになってしまうのか！　手に汗握る展開が続きます！』

残り時間20分を切って、涼子と遥香の動きが止まっていた。わたしから見ても、涼子のソースコードにおかしいところはない。何かが抜け落ちているのか、逆に余計な処理が紛《まぎ》れ込んでいるのか。それとも、根本的にどこかが間違っているのか。

涼子はもがくように、天井を見上げたり両手を頭の後ろで組んだりしている。

膠着《こうちゃく》状態が続いた。

『残り5分です！　ここまで両者とも試行錯誤！　先鋒戦の行方はどうなるのか!?』

涼子も遥香も、お互いにペナルティは一つずつだ。ここで涼子はサブミットせずに引き分けに持ち込むという手もある。しかしそれが有効なのは、遥香も同様に動かなかった場合だ。遥香がコードを直して《AC》すれば涼子の負けだが、《WA》になってペナルティを重ねれば涼子の勝ち。遥香にとっても、再びサブミットするのは賭けに近いはず。

そこで、何かを思いついたように、涼子のコーディング速度が増す。打開策を思いついたのか、それとも——腹をくくったのか。

『天神大・先鋒、サブミットぉ！　ほぼ同時に早乙女大・先鋒もサブミットですッ！』

再びジャッジが回った。

わたしは両手を合わせる。

どうか、通って——！

『またもや両者《WA》だあぁぁあッ！　これは厳しい！』

頭を抱える遥香と、テーブルにうなだれる涼子。

そして。

『しゅうりょおおぉ！　試合終了です！　プールA・第一テーブル、第三試合の先鋒戦は、両者ペナルティ二つで引き分けとなりました！』

涼子はゆっくりと立ち上がる。わたしはすぐに彼女のもとへ駆け寄った。

「りょーちゃん！」

涼子の肩を抱きとめる。

「べえやん……」

「頑張ったわね」

小百合も涼子の手を取る。

「お嬢……あたし……」

ごめん、と涼子は頭を下げる。

「引き分けが精いっぱいだった……べえやん、お嬢……頼むよ」

わたしたち三人は後方に下がる。

『続いて、中堅！　前へ！』

うめちゃんの声に小百合は、一歩前に出た。

「お嬢ッ」

呼び止め、小百合が振り向いたところでわたしは彼女の両肩をつかんで告げた。

「生まれ変わらせよう」

瞬間、小百合はハッとした顔を見せる。

――競プロ部を、彼女自身を。

想いが通じたのか、小百合は両の瞳をじわりと潤ませ、首を縦に振る。

わたしがゆっくりと手を離すと、小百合は一気に顔つきが真剣になった。

「やるわ」

意気込んで、小百合はテーブルに進む。その対面には、グェン。彼女は無表情で眼鏡を持ち上げる。

テーブルをはさんで、両者無言のにらみ合いが数秒間続いた。

マイクをオフにしてうめちゃんは「二人ともオッケー?」と、小百合とグェンへ交互に確認する。二人は同時にうなずいた。

『それではいきましょう!　中堅戦、はじめぇ!』

巨大スクリーンに問題文が映し出される。何行にもわたって数式が並び、一見してきわめて数学的な問題だった。これはもしかしたらわたしが挑んだほうがよかったかもしれない——そんな考えが頭をよぎったが、強引に振り払う。

小百合は手元の計算用紙に数式を展開しているようだった。対面のグェンも頭の中だけでロジックを組み立てるのは厳しいようで、小百合と同様に、ガリガリと紙に書きつけていた。

『非常に数学色が濃い問題のようです!』

開始から10分経過。

小百合もグェンも、まだ一行もコードを書けていなかった。

でもここは、焦ってコーディングを進めるべきではない。

きっちり数学的に方針を立ててからソースコードに落とし込まないと、足をすくわれるだろう。そういう意味では二人とも慎重に、確実に対処している。

『さあ、ここまで両者ともひたすら計算です！　まだコーディングには手をつけていません！』

そして動き出したのは、グェンだった。

『ここで早乙女大・中堅！　ようやくコードを書き始めたッ！　天神大・中堅は追いつけるのか――書き出した！　天神大・中堅もコーディングを始めましたッ！』

小百合は目の前の半角英数字と記号に意識を集中しているようだった。一つの変数ミス、一つの記号ミスが命取りとなるに違いない。さながら、綱渡りだ。

小百合は入力例を実行する。全部で三つ――全て通った。

よし、とわたしは拳を握る。

『サブミットぉ！　先に仕掛けたのは早乙女大・中堅です！　――いやッ!?　一瞬遅れて天神大・中堅も追っかけたぁ！』

小百合は微動だにせずノートパソコンの画面を見つめている。

しかし、小百合はおもむろに、苦々しい顔で体を反らした。

『天神大・中堅、《ＴＬＥ》ですッ！　ここでペナルティとなりました！　対する早乙女大・中堅は――《ＷＡ》！　こちらもペナルティだぁッ！』

小百合は歯を食いしばっている。

グェンも、ほんの少しだけ表情が動いたように見えた。

試合時間はすでに30分を過ぎている。

『中堅戦も苦しい闘いとなっています！　先鋒戦に続いて引き分けとなってしまうのか！　それとも、どちらかが先に《ＡＣ》を決めるのかッ！』

ここは見送るべきだ、とわたしは直感的に判断した。残り時間が10分もない状況で、ペナルティを重ねるのは避けたほうがいい。グェンのほうも、この様子では《ＡＣ》するのは難しいだろう。

小百合がわたしと涼子のほうを振り向く。合図を求めている、と瞬時に理解する。わたしはすかさず掌を広げた。ワンテンポ遅れて涼子も掌を広げる。当然、グェンに《ＡＣ》を出されてしまえば負けを許すことになってしまうが、ここは賭けだった。

小百合は、わたしと涼子のリアクションを見て、苦々しげな顔をしながらも一つうなずいた。

『ここで試合しゅうりょおおぉッ！　――おおっと！　早乙女大・中堅、わずかに遅れてサブミット！　一足遅かったッ！』

グェン側の巨大スクリーンに、ジャッジが回る様子が映し出される。返ってきた結果は《ＷＡ》。

『ルール上、試合終了後のサブミットは無効ですので、中堅戦はペナルティ一つずつで引き分けとなります！　先鋒戦に続き、引き分けですッ！』

時間内でのサブミットであればジャッジ結果は有効なので、グェンにもう一つペナルティが増えて、小百合の勝ちとなっていたはずだった。小百合にしてみればせっかくの勝利を逃して悔しい結果となったが、グェンとしては命拾いした格好だ。

小百合は、椅子の背もたれに体を預ける。

「お嬢！」

涼子が駆け寄る。小百合はゆっくりと立ち上がった。

「りょーちゃん、ごめん……勝てなかった」

わたしも駆けつけて、小百合の手を取った。

「お嬢、おつかれ」

「べえやん……私……」

小百合は顔いっぱいに悔しさをにじませる。

「お願い、なんとしても……！」

握り返してくる小百合の手から、彼女の想いを受けとめた。

「お嬢、りょーちゃん」

わたしは小百合と涼子の目をしっかりと見る。

「あとは任せて」

　わたしの言葉に二人は、同時にうなずいた。

『プールA・第一テーブル、第三試合！　先鋒戦と中堅戦はともに引き分けです！　最終戦にふさわしい、手に汗握る展開になってきましたッ！』

　沸き立つ観客の声は、鳴りやまない。

　テーブルの対面に紗綾が立つ。

『天神大はこの第三試合に勝って決勝トーナメント進出を決めるのかッ！　早乙女大のほうは第一試合と第二試合で一勝一敗、なんとしても勝ちたいところですッ！』

　わたしのほうを真っすぐに見据えてくる紗綾の目からは、必ず勝つ、という大将の矜持のようなものが伝わってきた。

　わたしも、彼女から目をそらさない。

　ビビったら負けだ。

『泣いても笑っても、これが最終戦です！　両者準備ができ次第、いよいよ大将戦開始となります！』

　テーブルについて素早く動作確認を済ませた。

　半年まえ、早乙女大のキャンパスで闘ったときには明確な実力差があった。

　でも、この半年間、わたしたちは競プロの精進に全力を注いできた。

秋の交流試合でも負けてしまったが、それも含めて、今ここで雪辱を晴らす。

『それでは、運命の一戦！　大将戦！　はじめぇぇぇ！』

問題がオープンになる。

何度も問題文を読み返し、競プロの女神がわたしに微笑んだことを確信して、全身が打ち震えた。

与えられる数列について、条件を満たす中での最大値を求めるというもの。これは、半年まえのあの日、早乙女大との親善試合で《AC》できなかった――二分探索法の応用問題だ。あのときとは異なる問題だけれど、もはや道筋が見えないということはない。夏合宿で悦子から手ほどきを受け、その解法が、アルゴリズムが、頭のてっぺんから足の先まで染みついている。

――勝てる。

わたしは気を落ちつけて、アルゴリズムをソースコードに落とし込んでいく。組み立てるべきピースは、頭の中で揃っている。慎重に、一つずつ、ピースを組み合わせてブロックを作っていく。

アルゴリズムに、深く、深く、潜り込んでいく。

制約条件として、探索範囲はマイナス10の十八乗以上、10の十八乗以下。先頭から順に調べ上げていくと確実に実行制限時間を超える。題意に照らし合わせても、ここで適用するべきアルゴリズムは間違いなく、二分探索法。探索範囲を半分に、さらに半分にしていって、解を求められるまで処理を繰り返す。

頭の中では半角英数字と記号が淀みなく展開され、それが指先に伝わり、流れるようにコードを構築させていく。

```
INF = 10 ** 18 + 1
def chk_max(x):  #関数の定義
    # ここに条件式を実装
```

パズルのピースとピースを組み合わせるように、コードとコードを連ねていく。英数字や記号を一つでもミスしてしまうと命取りだ。

```
ok, ng = -INF, INF
```

紗綾はきっと手堅く、確実に決めてくるはず。先んじてペナルティを出してしまうことは許されない。

```
while abs(ok - ng) > 1:
    mid = (ok + ng) // 2
    if chk_max(mid):  #関数chk_maxで条件判定
        ok = mid
    else:
        ng = mid
print(ok)
```

『天神大・大将、畳みかけるようなコーディング！　キレッキレです！』

そしてわたしは、書き上げたソースコードの先頭から末尾まで何度も見直した。

一瞬、紗綾の様子をうかがう。彼女もすでにコードに手をつけ、画面とキーボードに意識を集中させている。

『対する早乙女大・大将も迷いのないコーディングです！　さすがは大将戦、レベルの高さがうかがえます！』

三つの入力例をテストする。全て通った。

『ここで天神大・大将、サブミットぉ！　テストケースは七十七個だぁ！』

かつてないほどのケース数の多さに少しばかり驚く。

……1/77 OK……6/77 OK……8/77 OK……11/77 OK……

『早乙女大・大将もすぐに追いかけます！』
紗綾と目が合った。
わたしの内側まで差し込んでくるような、紗綾の鋭い目つき。

……13/77 OK……16/77 OK……19/77 OK……22/77 OK……

両手が小刻みに震える。
怖い、と体が本能的に感じている。
だけど、負けられない。

……26/77 OK……29/77 NG…………………

《WA》
『通らない！　二人とも《WA》だぁッ！　大将戦、すんなりとはいきません！』

紗綾は苦々しい顔つきになる。

ギリッ、と歯噛みする音がこちらまで聞こえるようだった。

互いにペナルティは一つ、残り時間15分ほど。

――落ち着け、自分。

ここで焦ったら、勝利を逃す。

書き下したソースコードを先頭から見直す。二つの整数と配列の標準入力の受け取り部分は問題ない。そのあとの配列のソートもＯＫ。根本的な方針として二分探索法を応用するというのも間違っていないはずだ。

ただ、テストケースのジャッジでは、出力結果が間違っているものだけでなく、タイムオーバーしたケースもいくつか発生している。時間計算量的に実行制限時間を超えうるケースでしくじった、ということか。

探索処理の部分のブロックを見直す。

```
ok, ng = -INF, INF
while abs(ok - ng) > 1:
    mid = (ok + ng) // 2
    if chk_max(mid):  #関数 chk_max で条件判定
```

```
        ok = mid
    else:
        ng = mid
print(ok)
```

何度見返しても、探索処理に誤りはなさそうだった。

ということは、関数 chk_max を定義している部分か。

処理が複雑になったため、関数として探索処理とは分けていた部分を確認する。処理自体は簡単なもので、コードを何度読み返しても間違えていないように見える。

残り時間10分。

紗綾の様子をうかがうと、眉根を寄せて試行錯誤しているようだった。彼女もいまだに解決へ至っていないということがわかって安心したところもあり、このままでは引き分けになってしまうという焦りも出てくる。

——引き分け。

今、お互いにペナルティ一つずつだ。

紗綾にしてみればなんとしてもわたしたちに勝つしか道はないから、この大将戦では様子見などせずとにかく《ＡＣ》を狙ってくるに違いない。

関数chk_maxでの配列の処理に時間がかかっていると見当をつけて、高速化を試みる。入力例は全て通るものの、ジャッジされるときのテストケースの中身はわからないので、あとはもう実際にコードを走らせるしかない。

『さあ、早乙女大、天神大、ともに苦しい時間が続きます！　早乙女大は勝って決勝トーナメントへのチャンスをつかむのか！　それとも天神大が三戦全勝を決めるのか！——おおっと、ここで！　早乙女大・大将がサブミットぉ！』

紗綾のほうの巨大ディスプレイを見ると、ジャッジが開始されたところだった。

息が詰まる。

そして、無意識に《提出》ボタンを押してしまう。

『追いかけるように、天神大・大将もコードを提出ッ！　先ほどとは逆で、今度は天神大が早乙女大を追いかける形になりましたッ！』

——しまった。

背中に冷たい汗がにじむ。

……3/77 OK……10/77 OK……14/77 OK……18/77 OK……

ちゃんと検証しないままコードを提出してしまった。

これは、明らかに――。

『ああっとぉッ！　早乙女大・大将、《WA》です！　またもや通らず！　さあ、天神大のほうはどうだッ!?』

……27/77 OK……29/77 NG…………………

《WA》

「ぐ……ッ！」

『こちらも通らずッ！　互いに二回目の《WA》です！』

紗綾が椅子の背もたれにグッと寄りかかる。いったん気を落ち着けようとしているのかもしれない。

――冷静にならなければ。

紗綾が《WA》になったから命拾いしたものの、下手したら負けが決まっていた。プレッシャーに潰されて、ペースを乱してしまったらダメだ。

一回目の提出のときとジャッジ結果が同じなので、小手先の高速化は意味がないことがよくわかった。もっと根本的に、何かが間違っている。

『残り時間、いよいよ5分を切りました！　このまま引き分けになってしまうのか、それとも!?　白熱した闘いが続きます！』

両耳に響く、観客の声。

紗綾の向こう側、観客席の最前列にいる悦子の姿を目に捉えた。彼女は祈るように両手を合わせてわたしとディスプレイを交互に見ている。


『自分に勝つんだよ――』


不意に、悦子の声が頭の中に響く。

合宿のときも、一番手ごわいのは自分自身、と彼女は言っていた。

パン、と両手で自分の頬を打つ。

そして振り返って、小百合と涼子のほうを見る。

二人とも苦しげな表情を浮かべていた。そして彼女たちは、親指を立てることも、掌をかざすこともしない。もはや合図を送るまでもなく、勝負に出るべきときだと小百合も涼子も理解しているのだろう。

再び正面を向き、変わらず苦慮《くりょ》している様子の紗綾と、その向こうにいる悦子の姿が目に入る。

そういえば、最初に悦子から特別講義をしてもらったときも、二分探索法の話だった。1から32までの数字で、一緒に――。

瞬間、電気のような何かが体を走り抜けた。

二分探索法の話のあと、悦子が念を押していた言葉が脳裏に飛び交う。


『超基本的なことでミスらないようにね』

『探索範囲を間違えちゃうとか』

『配列の要素の指定範囲がズレちゃうとか』


すぐさまソースコードを見直す。

――どうして気づかなかったのか。

何度も見直したはずなのに、関数chk_maxの処理で、配列の要素の指定範囲がズレていた。

『残り3分ッ！』

うめちゃんの声がマイク越しに響く。

対面の紗綾は、一心不乱にキーボードを叩いている。

——これが、ラストチャンスだ。

コードを修正して、全体をもう一度見直し、三つの入力例を試す。オールクリア。それ以外のケースも、思いつく限り試した。

『あと2分です！』

深呼吸をして、気持ちを落ち着かせる。

半角英数字と記号で具現化されたアルゴリズムを見つめて、ふう、と一息つく。

——自分に、勝つ。

そして、震える指先でゆっくりとマウスをクリックし、《提出》ボタンを押した。

『ここで！　天神大・大将が動いたッ！　早乙女大・大将もほぼ同時にサブミット！』

テーブルの向かい側で、紗綾は両腕を組んでいる。

彼女の両目の奥に宿る、自信と不安の入り交じった気持ちを感じ取る。

『互いに、これが最後のジャッジになるでしょう！　勝負は決まるのかぁッ!?』

……13/77 OK……16/77 OK……19/77 OK……22/77 OK……

わたしは目を閉じ、そして両手を合わせた。

……25/77 OK……29/77 OK……31/77 OK……33/77 OK……35/77 OK……

これまでの軌跡が、遡《さかのぼ》るように思い出される。

……37/77 OK……41/77 OK……44/77 OK……49/77 OK……

悦子の《雪月花》の試練、小百合と涼子との不和、交流試合での惨敗、そして予選ステージ突破。

……52/77 OK……57/77 OK……61/77 OK……63/77 OK……

壱岐での夏合宿、東京での早乙女大との親善試合、悦子の顧問入り。

『なんということだぁッ！　早乙女大・大将、痛恨の《ＷＡ》が出てしまったぁあッ！』

初めてのコンテスト参加、入部を賭けた小百合との対決、涼子との食堂での出会い、そしてコンピュータルームでの小百合との出会い。
全てが鮮やかに思い浮かんだ。

……66/77 OK……69/77 OK……71/77 OK……

小百合の笑顔。
涼子の笑顔。
いつも支え合って、ぶつかり合って、笑い合って。

……73/77 OK……75/77 OK……

今、改めて伝えたい。

……77/77 OK.

《AC》

——ありがとう。

『決まったあぁあッ！　えぇえしいいぃいッ！　《ＡＣ》ですッ！』

瞬間、割れんばかりの大歓声が上がる。

『天神大・大将ッ！　三度目の正直！　見事な《ＡＣ》を決めましたぁッ！』

会場中から集まってきていた観客は、これまでにないほど沸き立った。

紗綾は対面で脱力している。

その後方、遥香とグェンも立ち尽くしていた。

「「べぇやあぁあん！」」

立ち上がると、小百合と涼子が飛び込んできた。

「やったあぁあ！」

「すげえぇえッ！」

小百合と涼子の絶叫。

遅れて、勝利の実感が不意に体を駆け抜ける。

「やっ――たあぁあッ！」

わたしも叫び、二人と抱き合った。

『今大会で決勝初進出の天神大チーム！　なんと、三戦全勝ッ！　お聞きください、この大歓声！』

四方からの凄《すさ》まじい天神コール。

両手を上げて叫ぶ観客もいる。

『勝ったのは、天神大！　プールA・第一テーブル、第三試合を制したのは天神大チームです！』

「みんなあぁぁあッ！」

悦子が走り寄ってくる。

そしてダイブ。

三人でがっちりと抱きとめた。

「よくやったぁ！　よくやったよぉぉおッ！」

赤紫色のツインテールをブンブンと揺らしながら、悦子は泣きじゃくる。

観客の熱気とは対照的に、紗綾は静かに立ち上がった。そして彼女は、わたしの近くまで歩み寄ってくる。反射的にわたしは、紗綾のほうを向いた。

険しい顔をしていた紗綾は、表情をふっと緩ませ、

「……お見事」

と言って、手を差し出してきた。

紗綾の目を捉え、そして彼女の手をがっちりと握る。

「さやちゃんも、ナイスファイト」

一層の歓声が上がった。

『ごらんください！　素晴らしい競プロ精神です！』

割れんばかりの拍手が巻き起こる。

小百合とグェン、そして涼子と遥香も、互いに握手を交わし合った。

仁先生も観客席から移動してきて、悦子と握手をしていた。

『はい、それでは！　試合を終えた選手のみなさんは控室で待機してください！　全テーブルの試合終了のあと、結果発表となります！』

うめちゃんのアナウンスでわたしたちはテーブルを離れた。

5

午後五時半、会場内の全テーブルの試合が終了した。控室で待機していると、ほどなくしてうめちゃんが控室に入ってきた。

「みなさん、結果が出ました！　会場に集合してください！」

各校のプレイヤーたちは、ぞろぞろと控室をあとにする。先ほどまでの熱気は収まり、代わりに会場全体では緊張感が生まれつつあった。

『結果発表です！』

うめちゃんのひときわ大きなアナウンスが響き渡る。会場奥では、巨大なスクリーンの前にうめちゃんが立ち、その隣にはアベハルさんの姿もあった。

『まずはみなさん、朝からおつかれさまでした！　これより、それぞれのプールで勝ち抜けたチームを発表します！』

わたしたち三人は息を呑む。

勝ち抜けは、各プールで二校のみ。

『まずはプールA！　プールAを勝ち抜けたのは――天神大チーム！　そして京極大チームです！』

おおおッ、と会場のあちこちから声が上がった。

『大波乱のプールA！　勝ち抜けたのは天神大と京極大です！』

割れんばかりの拍手が起こる。スクリーン前でアベハルさんも両手を叩いていた。

京極大の三人のほうを見ると、姫子は終始ぶすっとした顔で、その隣に立つ詠美は欠伸をしていた。リサはというと、真剣な眼差しでわたしのほうを見つめていた。わたしもリサを見返す。目が合うこと数秒、リサは表情を緩めてウインクしてきた。試合のときの馬鹿にしたような態度は、そこにはもうないように見えた。わたしは、彼女に向かって笑みを返す。

早乙女大では、遥香が涙を流し、その両脇で紗綾とグェンが慰《なぐさ》めるように遥香の肩を抱いていた。

続けてプールBからは東雲大チームと若松大チーム、プールCからは東京理工大チームと文京女子大チーム、プールDからは関西中央大チームと北日本大チームが勝ち抜けとなった。いずれも強豪揃いだ。

『以上八校、明日の決勝トーナメントに進出となります！　惜しくもプールステージ敗退となったみなさんも、大変おつかれさまでした！　それでは、全プレイヤーの健闘を称えて盛大な拍手をお願いします！』

再び会場内で大きな拍手が起こる。

――決勝トーナメント進出。

改めてその言葉の響きが体中を駆け巡り、自然と涙が出る。

小百合と涼子も泣いていた。

そっと肩を寄せ、わたしたちは抱き合った。

終章

全国大会の決勝から二か月が経つ。

天神大の共通棟三階のコンピュータルームで、わたしは選択科目の《情報処理基礎》のレポートを書いていた。コンピュータの仕組みについて調べたことをまとめて論述するというものだった。

◇

決勝二日目の日曜日、午前九時半。
トーナメント戦に臨む八校が会場に集合した。
対戦の組み合わせが発表され、わたしと小百合、涼子の間には緊張が走った。
一回戦の相手は、東雲大。
大会最強とも目されている、京極大に並ぶ強豪校といきなり当たった。東雲大は予選ステージでも突き抜けた成績で総合トップを収めていた。わたしたちは初戦から苦しい闘いを強《し》いられることになりそうだった。

午前十時になり、四テーブルに分かれて対決が幕を開けた。ルールは決勝プールステージと同じだった。

対戦結果は、わたしたちのストレート負け。先鋒の涼子は先に《ＡＣ》を決められ、中堅の小百合は40分いっぱい善戦するもペナルティ数の差で敗北、そして大将のわたしは今大会最高レベルとも噂されていたプレイヤーと闘い、開始20分弱で《ＡＣ》を決められ、歯が立たずに終わった。強豪の中の強豪というものを肌で感じ、再起を心に誓った。

決勝トーナメント戦は、さすがに強豪揃いということもあって、激戦に次ぐ激戦が繰り広げられた。京極大はリサも詠美も、姫子も、プールステージのときとは人が変わったような真剣な振る舞いで、圧倒的な力を見せた。トーナメント一回戦の若松大、二回戦の東京理工大との闘いは、ともに京極大のストレート勝ち。リサたちの底力を見せつけられた格好となった。

そして、優勝決定戦。

京極大がトーナメントを勝ち進み、対するは東雲大。前々回と前回の優勝チームが激突した。白熱した勝負を見せ、互いに一勝一敗。そして大将戦で雌雄《しゆう》を決したのはリサだった。東雲大の大将を試合終了2分まえに《AC》で制したのだ。

総合優勝は京極大、そして準優勝は東雲大。決勝二日目の最後に表彰式が執《と》り行われ、京極大にはゴールドのトロフィーと賞金百二十万円、東雲大にはシルバーのトロフィーと賞金六十万円が贈呈された。

そして、わたしたち天神大に、特別敢闘賞としてブロンズのトロフィーが贈られた。イレギュラーなことだったが、大会で最も大きな感動を呼んだ功績を称えられて、アベハルさんの計らいにより急きょ決まったことだった。代表の小百合がトロフィーを受け取って、わたしと涼子が小百合と一緒に掲げると、わたしたち三人に大きな拍手が向けられた。

◇

レポートのデータをUSBメモリーに保存し、コンピュータルームをあとにする。そして、キャンパス内の休憩所に向かった。冬の寒さに自然と足取りが速くなる。

「べえやぁん」

休憩所では、涼子が先に着いてコーヒーを飲んでいた。いつものグラデーションカラーの髪が、深みを増しているように見えた。

「おつかれ」

わたしもコーヒーを買って涼子の隣に座り、ズズッと一口する。

「べえやん、課題もう終わったと?」

「うん、さっき終わったとこ」

全国大会が終了して以来、競プロ部での活動と並行して、コンピュータサイエンス関連の講義を受講したり独学でアルゴリズムの理解を深めたり、わたしたち三人は一層の精進に励んでいた。定期コンテストにはほぼ毎週参加し、三人ともじわじわとレートを伸ばしている。まだ小百合には及ばないものの、わたしのレートはその差を少しずつ詰めてきていた。

休憩所で涼子としばらく談笑していると、おもむろに大きな人影が二つ現れた。雷神と風神をデフォルメした白いTシャツをそれぞれ着ていて、雷神はにこにこ、風神は真顔だった。

「あれっ?　らいちゃん、ふうちゃん、どしたん?」

涼子が笑いかけると、ライカとフウカは何も答えずわたしと涼子の近くに回り込んできた。流れるような動作で、フウカが片腕で涼子を肩に担ぎ上げる。

「ぉわあッ!?」

そしてわたしもライカに、ヒョイと担がれた。

「待ってまって！　なんかデジャヴ！」

わたしの叫びも空しく、ライカとフウカは休憩所を駆け出し、キャンパス内を疾走する。しばらくしてピタッと動きが止まり、ゆっくりと降ろされた。予想どおり、そこは共通棟から少し離れた建物だった。ドアには達筆な《競プロ部》の張り紙がある。

「お嬢。お連れしました」

ライカがドアを開け、和室の奥にいる小百合に呼びかけた。彼女は《乾坤一擲》の掛け軸を眺めていた。

「ありがと、らいちゃん、ふうちゃん」

「もー、なんなんお嬢、こんなことせんでもフツーに呼んでくれたらええのに」

涼子が笑いながら抗議めいた声を上げる。

「ふふっ、たまには、ね？」

小百合が言って、微笑んだ。

わたしたちはそれぞれ自席に着く。

「それで、どしたん？」

荷物を降ろしながら涼子が訊く。

三人でほぼ毎日部室に集合していたが、この日は少し早めの時間だった。

「うん、べえやんとりょーちゃんにこれを見てほしいの」

そう言って、小百合はノートパソコンにHDMIケーブルをつなげ、プロジェクターで画面を映し出した。名の知れたグローバル企業のホームページだ。その中に一層凝った造りの特設ページがあった。

「競プロの国際大会よ」

小百合がマウスでカーソルを動かしながら言う。グローバル企業主催で、全世界の学生を対象に競プロの国際大会が開催されるようだった。

「マジか……優勝賞金・五万ドル……って、ン百万円ってコトかいね」

涼子の視線は画面に釘《くぎ》づけになる。

「今年もアルゴコードの全国大会は開かれると思うから、それと並行することになると思うけど」

どうする、と小百合から言葉を向けられる。

前回と同じであれば、全国大会の予選は九月、決勝は十二月だろう。それと同時進行となると、かなりタイトなスケジュールになりそうだ。

「おつかれぇい！　……おっ、何なに？」

パンパンにふくらんだコンビニのレジ袋を片手に、悦子が部室に入ってきた。プロジェクターで映し出された画面に気づき、状況を察したようだ。

「はっはーん、いよいよ世界ってわけね？」

やるじゃん、と悦子は笑う。

小百合は何も言わずとも、やる気が全身に満ちているようだった。

わたしは涼子と顔を見合わせる。

そして彼女は意気込んだ。

「やっちゃろうかいね」

でもさ、と涼子は少しばかり弱気の色を見せる。

「日本国内だけやなくて、全世界から強豪が集まって、しかも全部英語とか……もう負けフラグ立ってない？」

たしかに、アルゴコードの全国大会よりもっと厳しい闘いになるかもしれない。

だけど、わたしたちなら——きっとやれる。

わたしは、涼子の目を真っすぐに見て言い放った。

「負けフラグなんか、へし折ってなんぼでしょ！」

「……うん！」

涼子はとびっきりの笑顔でうなずいた。

「よぉし、決まり！」

と小百合が大きな声を上げる。

書棚の中央で、ブロンズのトロフィーがキラリと光を反射したのが目に入った。

——わたしたち競プロ部の闘いは、アルゴリズムのように決まった手順でこなせるものなんかじゃない。

団体戦で優勝を目指すことも、個人戦でレートを上げることも、そこら中にいる化け物みたいな強さのプレイヤーたちに勝ち続ける必要がある。

これから先、心が折れそうになる瞬間は、何度だってあるはずだ。

でも、小百合と涼子が一緒なら——大丈夫。

どんなハードルも、きっと乗り越えられる。

胸の内にたぎる熱情に、さらなるアルゴリズムの闘いへと駆り立てられた。

監修　高橋直大（ＡｔＣｏｄｅｒ株式会社）

本書は第二回次世代作家文芸賞「一般向けエンターテイメント小説部門」特別賞受賞作『アルゴリズムの乙女たち』を加筆修正したものです。なお本作品はフィクションであり実在の個人・団体などとは一切関係がありません。

徳間文庫

アルゴリズムの乙女《おとめ》たち

2024年3月15日 初刷

著者 明《め》治《じ》依《い》吹《ぶき》

発行者 小宮英行

発行所 株式会社徳間書店

東京都品川区上大崎三−一−一 〒141−8202
目黒セントラルスクエア

電話 編集〇三(五四〇三)四三四九
販売〇四九(二九三)五五二一

振替 〇〇一四〇−〇−四四三九二

印刷
製本 大日本印刷株式会社

ISBN978-4-19-894934-1 (乱丁、落丁本はお取りかえいたします)

徳間文庫の好評既刊

鹿ノ倉いるか

もうこれ以上、君が消えてしまわないために

「これから伝えることをパソコンで打ち込んでください」引っ越したアパートで若い女性の奇妙な声がした。切迫感に急《せ》き立てられ入力していくと、それは何かの物語らしい。なんと彼女は、元小説家の幽霊だった！　無事完成したら印税はあげるから、引き続き執筆を手伝ってくれないか。甘い言葉に誘われ、〈ゴーストライター〉を引き受けた僕だったが、奇妙な共同執筆作業は苦難の連続で……。